Jean Gabin

L'auteur tient à remercier tout particulièrement André Bernard pour sa documentation photographique.

Maurice Périsset

Jean *Gabin*

Editions J'ai lu

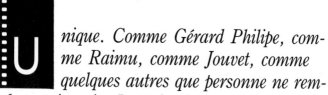

Unique. *Comme Gérard Philipe, comme Raimu, comme Jouvet, comme quelques autres que personne ne remplacera jamais. Jean Gabin a occupé dans le cinéma français une place qui demeure désormais vide. Acteur inspiré ? Sûrement pas, dans le sens où l'on pouvait dire que Gérard Philipe, qu'il n'aimait guère, était un acteur inspiré. Acteur d'instinct ? Pas davantage.*

DEUX CARRIÈRES

« L'étendue des émotions que peut fournir Gabin, a écrit Jean Renoir, est immense, tant son art est de n'en donner que l'essentiel. » Le plus surprenant est que la statue Gabin a été forgée définitivement dans le bronze, en cinq ans seulement. Il se serait arrêté de tourner à 35 ans, le « grand » Gabin aurait marqué à tout jamais l'histoire du cinéma français. Là, pas de faille, un choix rigoureux, un instinct sûr. Ensuite, la quarantaine passée, l'interprète exemplaire de Quai des brumes, *de* La Bête humaine, *de* La Bandera *ne retrouvera plus, sauf à de rares exceptions près, les Carné,*

Renoir, Grémillon, Duvivier de la grande époque, ceux qui lui avaient assuré la considération de la critique, l'admiration des cinéphiles, le respect des plus exigeants. Le miracle est que sa popularité soit demeurée intacte. Malgré un certain nombre de films que lui-même n'appréciait pas beaucoup, il est resté pour le grand public une sorte de monument historique. Mieux, ce public continuait à le

Avec Pierre Fresnay dans l'inoubliable *Grande Illusion* (Jean Renoir, 1937).

vénérer, même s'il boudait ses films. Ainsi naissent les mythes. Et pourtant, Gabin était tout le contraire d'un mythe, tout simplement un homme avec sa personnalité hors du commun, sa lucidité méfiante, ses coups de gueule et, souvent aussi, mais seuls ses intimes l'ont vraiment perçue, la tendresse immense que cachaient ses yeux bleus. ■

Marcel Carné, Grangier, Audiard en passe de devenir ses réalisateurs attitrés. Un passage au théâtre : *La Soif*. Dominique. Le grand succès enfin : *Touchez pas au grisbi*. Mais il faut compter avec les jeunes : Belmondo, Delon.

Lucide, Jean Gabin établit son bilan. Des films moyens, parfois alimentaires, souvent répétitifs. Le douloureux conflit avec les paysans. Une certaine critique l'éreinte.

Pourtant de grands titres, mais il faut partager la tête d'affiche : De Funès, Fernandel, Signoret.

LES
ANNÉES
FASTES

Sans uniforme et réduit à rien

(*Gueule d'amour*, Jean Grémillon, 1937).

On ne peut pas dire que Jean Gabin est devenu comédien par hasard, puisque son père et sa mère s'étaient fait un petit nom dans le spectacle ; on ne peut pas davantage affirmer qu'il l'est devenu par vocation.

« Quand je voyais travailler mon père, a-t-il dit, j'avais envie de faire tous les métiers, sauf acteur. » Des heures à répéter des textes qu'il faut bien « se mettre dans la tronche » pour les restituer ensuite chaque soir devant le public, des parents qui n'avaient pas la possibilité de s'occuper de lui comme il l'aurait souhaité, une vie de famille instable, forcément éclatée et, très tôt, pour l'indépendant qui s'affirmait déjà, la nécessité de s'assumer, avec les fantaisies de tous les gamins de son âge livrés à eux-mêmes : les bagarres, les fugues et un total désintérêt pour les études. Ce qui n'empêche pas les rêves, les promenades dans la campagne, l'interminable contemplation des trains qui passent au-dessous de lui, sous un petit pont : un jour, il conduira des locomotives ! Il n'a pas envie d'être comédien et pourtant, à 18 ans, il est figurant aux Folies-Bergère et à 19, dans la Revue de Rip, au Vaudeville, il incarne tour à tour un garde égyptien, un contrôleur des wagons-lits, un mendigot et un pirate ! L'apprentissage, donc, d'un métier. Le maître mot qui motivera Gabin toute sa vie. Il fait un métier, mais seulement un métier, du mieux qu'il peut, avec la conscience professionnelle d'un ouvrier qui se veut toujours le meilleur : il se méfie quand on lui parle d'art. Après le music-hall

et le théâtre, le cinéma, même s'il dit : « Au
cinéma, on a affaire à des dingues. Acteur,
ce n'est pas une profession normale. On vend
du vent » (Lui, *Louis Valentin*, décembre 1974).
Et, au cinéma, il va devenir un immense
bonhomme même si, les années passant, il refuse
de courir les superbes risques qu'il a assumés
dans sa jeunesse, quand un metteur en scène
pouvait dire : « J'ai Gabin dans ma distribution »
pour faire aboutir un projet. ■

Le mécanicien
de la Lison
(*La Bête humaine*,
Jean Renoir, 1938).

■ Un père qui anime les revues de La Cigale, boulevard Rochechouart, une mère elle aussi chanteuse sous le nom d'Hélène Petit,
mais que l'enfant a rarement vue autrement qu'inquiète, agacée,
un frère de 16 ans son aîné, qu'on appelait Bébé, une sœur de
14 ans, Madeleine, une autre de 11 ans, Reine, et une enfance
poussée un peu au hasard

Le traîne-champs

à Mériel, en Seine-et-
Oise. L'enfant n'a pas un
amour particulier pour les
études, il aime surtout courir la campagne, jouer avec les gosses
de son âge, se bagarrer. Quand il rentre, égratigné, des bleus au
front, les vêtements parfois déchirés, il s'entend dire par une mère
fatiguée, et qui n'a jamais vraiment accepté d'avoir mis au monde,
tant d'années après les trois autres, ce fils difficile et qu'elle ne
comprend pas : « Tu finiras sur l'échafaud ! »

Mais quel enfant tant soit peu turbulent n'a pas été menacé de
cette conventionnelle prophétie ? En fait, à cette époque, la seule
qui se soit vraiment occupée de lui, c'est Madeleine, la sœur atten-
tive, toujours disponible et à laquelle, sa vie durant, il vouera une
affection sans faille. Jean, Alexis, Gabin Moncorgé est né à Paris,
23, boulevard Rochechouart, le 17 mai 1904. Il a donc 10 ans à
la déclaration de guerre de 1914. Mais que représente la guerre
pour cet enfant qui voit passer des soldats, des chevaux et à qui

l'on a présenté les Prus-
siens comme des barba-
res qui incendient, tortu-
rent et tuent tout ce qui
bouge sur leur passage ?
Le 4e Zouaves campe à
Mériel. Jean admire ces
garçons de 20 ans qui le
prennent en amitié ; il est
fasciné par leurs tenues,
notamment ces fameux
pantalons garance dont
personne ne s'est avisé
qu'ils vont représenter de
faciles cibles. Un coup de
folie : il part avec eux
pour le front, mascotte
inconsciente parmi les

**La maison natale,
boulevard Rochechouart (en 1990).**

inconscients qui le cachent. Il sera rattrapé quelques jours plus tard
et le 4e Zouaves décimé. De là date sans doute la haine de Jean
pour toutes les guerres : il n'y en a pas de justes.

À 9 ans, dans le jardin de la maison de Mériel.

La famille quitte Mériel et s'installe à Paris, à Montmartre. Jean croit avoir échappé définitivement à l'école où l'indépendant qu'il est déjà se sent si peu à sa place ; il n'en sera rien mais, grâce à celui qui va devenir Marcel Bleustein-Blanchet, il obtient son certificat d'études. Son père et sa mère le pressent d'entrer au lycée,

L'enfance

il s'entête et refuse. Il a décidé de travailler. Aussi sa stupéfaction est-elle grande quand, à la suite d'on ne sait quelle habile démarche, son père réussit à le faire admettre comme interne à Jeanson-de-Sailly, où il ne s'illustrera pas davantage que dans le primaire. Du temps passé là-bas, Jean ne garde pas un bon souvenir. Il est un fils de pauvres égaré parmi les fils de riches, même si le fait que son père ait acquis un petit nom dans le monde fermé du music-hall lui confère une certaine considération parmi ses condisciples. Cependant, la condescendance qu'il perçoit chez beaucoup d'entre eux n'est pas étrangère à ce souci de respectabilité qu'il montrera souvent, même si, paradoxalement, il fuira les honneurs. Les rubans ont moins d'importance que le respect de son professionnalisme, à l'écran comme dans sa propriété de Normandie. Commencent alors pour lui les petits boulots multiples et mal payés, mais le gamin instable et capricieux est au travail d'une rectitude absolue. Il a 13 ans et ce qu'il fait préfigure ce qu'il sera toute sa vie : sérieux, méticuleux, ponctuel. Il a 14 ans quand sa mère meurt. Toujours, il regrettera cet amour maternel et cet amour filial en partie manqués.

**Jean,
jeune ouvrier.**

L'homme de la rue

« Il réussit ce tour de force d'être universel, tout en restant essentiellement français, et qui plus est parigot. Il est l'HOMME, le mâle, celui qu'il suffit de voir pour avoir envie de lui taper sur l'épaule et de lui serrer la main (...). Celui qui a toute la sympathie, quel que soit le milieu dans lequel il est plongé, quels que soient les gestes qui aient pu le marquer. Et sa grandeur, la grandeur de Jean Gabin, du mythe Gabin, c'est d'avoir fait accéder cet homme de tous les jours à la tragédie, de l'avoir intégré aux grandes légendes, de la douleur des hommes poursuivis par le destin et la fatalité. (...) L'exceptionnel chez Gabin c'est son destin, son destin d'homme de tous les jours que rien apparemment ne distingue des milliers de ses semblables au milieu de qui nous vivons et qui, par la fatalité qui pèse sur lui de toute éternité, lui permet d'accéder aux vertiges de la tragédie. »

Pierre Duvillars,
Cinéma, mythologie du XXe siècle,
Éditions de l'Ermite,
1950.

Avec Pitouto (*Du haut en bas*, G.-W. Pabst, 1933).

Le souhait secret de son père Ferdinand, c'est que Jean fasse la même carrière que lui. Il manœuvre tant et si bien qu'il le piège un jour où son fils l'accompagne aux Folies-Bergère. Sans le prévenir, Ferdinand le présente à l'administrateur : « Mon fils veut faire du théâtre. Qu'est-ce que tu peux faire pour lui ? » Jean n'ose pas protester. À sa grande surprise, Fréjol l'engage. Jean se dit qu'il pourra revenir à ses locomotives s'il ne fait pas l'affaire. Il se surprend à aimer cette vie de coulis-

« Je n'ai pas été élevé, je me suis élevé tout seul »

ses pour laquelle il se croyait si peu fait, une vie qui lui paraît soudain plus facile, plus agréable et, même s'il est mal payé, plus rentable que celle qu'il a connue. Figurant, il est bientôt appelé à « lever les jambes avec les boys », comme il le confie à André G. Brunelin, puis à pousser la chansonnette. C'est qu'on apprécie le débutant consciencieux, excellent camarade, toujours de bonne humeur et qui devient bien vite la coqueluche des girls. Venu en traînant les pieds, il prend soudain au sérieux ce qu'il a considéré jusque-là comme un amusement.

Il danse convenablement, il est à l'aise sur scène, il se découvre une fort jolie voix, même si certains trouvent qu'il imite trop Maurice Chevalier, et il se sent désormais chez lui dans un milieu qui a été celui des siens. Il est plus proche d'eux, il les comprend soudain et, très décontracté dans des refrains populaires que le public reprend parfois, il commence à obtenir sa part de succès. Il n'est plus un anonyme parmi les anonymes. Des Folies-Bergère, la revue finie, il passe aux Variétés, et c'est aux Bouffes-Parisiens qu'il décroche un petit rôle dans *La Dame en décolleté* d'Yves Mirande, Albert Willemetz et Maurice Yvain. C'est la première fois aussi que le nom de Jean Gabin apparaît dans un programme.

L'embellie

Il a 20 ans. Il est déjà, tout à la fois, le timide, le bon vivant, le mauvais coucheur, le gourmet au solide appétit, le lucide, parfois le cynique, et bien des filles de la troupe ne sont pas insensibles à son déjà célèbre regard bleu.

Et il rencontre le premier grand amour de sa vie.

Méphisto **(Henri Debain, 1931).**

Une fille brune, frange courte à la garçonne, drôle, espiègle et qui n'a qu'un rêve : faire du music-hall et du théâtre. Avec acharnement, elle suit des cours de danse. Contrairement à Gabin qui ne se sent toujours pas de vocation irrésistible, elle veut absolument réussir dans une carrière dont elle ne se dissimule pas qu'elle est fort encombrée. Ils s'aiment, ils se complè-

Gaby Basset

tent, s'épaulent, se comprennent. Jean ne se cache pas que l'obstination, la volonté farouche de Gaby l'impressionnent. Des mois d'amours heureuses ; ils travaillent chacun de leur côté et puis c'est la séparation : Jean part faire son service militaire dans le bataillon des fusiliers marins à Lorient.

Lui qui n'apprécie guère les contraintes ronge son frein. Se taire quand on a devant soi un quartier-maître qui vocifère, c'est dur. Il réagit mal, d'autant que le possessif qu'il est, même s'il ne

**Sa première femme,
Gaby Basset.**

l'admet pas, ne supporte pas trop longtemps d'être séparé de Gaby. Il l'épouse pour avoir droit à plus de permissions, puis il est muté au ministère de la Marine, rue Royale. Gaby Basset joue *Trois Jeunes Filles nues*, une opérette d'Yves Mirande, Raoul Moretti et Albert Willemetz, aux Bouffes-Parisiens où elle obtient d'ailleurs beaucoup de succès quand, en 1926, Jean est rendu à la vie civile. Il n'a pas envie de remonter sur les planches, mais le chômage l'y contraint et il reprend le rôle de l'officier de marine dans l'opérette. Gaby et lui la joueront jusqu'en 1927, et ils se retrouvent sans engagement ni l'un ni l'autre. Des semaines, des mois, des auditions, la course aux cachetons à Paris et en province et puis une escale que la jalousie de l'un et la légèreté de l'autre vont gâcher : leur voyage de noces, bien des mois après leur mariage, qui prend la forme d'une tournée au Brésil, avec à leur répertoire une douzaine d'opérettes, dont Jean connaît tous les airs.

De retour à Paris, c'est à nouveau la course aux cachets. Lors d'une audition au Moulin-Rouge, Jean est remarqué par Mistinguett, qui l'engage pour la revue *Paris qui tourne*. Devant elle, il est ému, il bafouille, mais la Miss a l'œil infaillible. Il jouera à ses côtés, oh ! pour un cachet modeste, mais il a conscience que la plus célèbre des meneuses de revues de l'époque lui offre sa première grande chance. Les mois passent et Jean n'est toujours pas convaincu d'exercer un vrai métier. Consacrer des heures à répéter sans arrêt les mêmes phrases avec la terreur de ne pas s'en souvenir au moment de les dire en scène, très peu pour lui ! Et pourtant, il se rend quand même compte qu'à salaire égal — avec la perspective de le voir très vite grimper —, danser et chanter est moins fatigant que de bosser dix heures par jour en usine. L'engrenage. Venu au music-hall presque par hasard, s'y tailler au fil des mois un succès qui grandit, commencer à être reconnu par un public qui l'a adopté, cela compte. Le réaliste qu'il est finit par y croire, d'autant que la Miss, pourtant avare de compliments, s'intéresse vraiment à lui.

La Miss

**Jeanne Bourgeois,
dite Mistinguett.**

Sa partenaire Madeleine Robinson dans
***Leur dernière nuit* (Georges Lacombe, 1953).**

Un peu trop peut-être, ce qui ne laisse pas d'inquiéter Gaby, qui connaît sa réputation de dévoreuse de chair fraîche. Sentimentalement, les nuages vont s'accumuler sur le jeune couple, usé par ailleurs. Un peu plus tard, ce sera le divorce, mais un divorce sans cris, sans drame : une amitié indéfectible unira jusqu'à la mort de Gabin ce couple soudé par l'estime, l'affection et le respect du travail bien fait.

Au reste, Mistinguett ne sera qu'une brève étape dans la carrière de Jean. 1929 : il tient le premier rôle dans *Flossie*, de Marcel Gerbidon, aux Bouffes-Parisiens ; l'année suivante, toujours sur la même scène, il enchaîne avec *Arsène Lupin banquier*, une autre opérette adaptée par Yves Mirande et Albert Willemetz de l'œuvre de Maurice Leblanc.

Arsène Lupin, le très populaire héros de Maurice Leblanc.

En 1930, Jean débute au cinéma, aux côtés de Gaby Basset d'ailleurs, dans un film que signent Hans Steinhoff, futur réalisateur quasi officiel du IIIe Reich national-socialiste, et René Pujol : *Chacun sa chance*. Des débuts si prometteurs qu'il va tourner dix films en trois ans. Dix films qui lui permettront de s'imposer. Et cela d'autant plus facilement qu'il vient du music-hall et non du théâtre, qu'il n'a pas appris son métier dans

« Chacun sa chance »

les écoles d'art dramatique mais dans la vie, c'est-à-dire qu'il n'a aucun des défauts qui caractérisent bien des comédiens d'alors : grandiloquence, enflure, effets appuyés. Lui joue naturel, décontracté, révolutionnant sans le savoir un art qui ne va pas cesser de se remettre en cause. Bien sûr, purs produits de consommation, par surcroît de consommation rapide, les films de ces années-là ne marquent pas l'histoire du 7e art, même si l'on trouve les noms de quelques-uns de leurs réalisateurs dans les dictionnaires du cinéma : Augusto Genina, Anatole Litvak, Maurice Tourneur, Serge de Poligny. N'importe, le nom de Jean Gabin grossit sur les affiches et grimpe tout en haut. Son interprétation « vraiment de très grande classe » dans *La Belle Marinière*, aux côtés de Madeleine Renaud, lui vaut ces compliments d'Odette Pannetier : « Jean Gabin, qui était encore un inconnu il y a quelques mois, est en train de devenir une très grande vedette.

**Avec Madeleine Renaud
(*La Belle Marinière*,
Harry Lachman, 1932).**

**Aux côtés de Joséphine Baker
(*Zouzou*,
Marc Allégret, 1934).**

« Il est naturel, il respire la bonté, l'indulgence. Il sait être comique, sans jamais rien exagérer et il est prodigieux de voir ce qu'il
peut tirer d'un simple mouvement de sourcils, d'un haussement
d'épaules, d'un tapotement des doigts sur la table » (*Ric et Rac*,
10 décembre 1932).

Gabin, toutefois, ne s'imposera vraiment qu'un peu plus tard
avec *Zouzou*, signé Marc Allégret, un film tout entier à la gloire
de la vedette de la *Revue Nègre* pour laquelle Paris a eu le coup
de foudre : Joséphine Baker, et surtout avec *Maria Chapdelaine*,
de Julien Duvivier, où il retrouve Madeleine Renaud, sa partenaire
de *La Belle Marinière* et du *Tunnel*.

C'est la rencontre d'un metteur en scène auquel il devra beaucoup par la suite, d'une histoire forte et intemporelle et du grand public, qui accueille très favorablement le film. « Julien Duvivier, écrit Roger Boussinot, a fait plusieurs fois de son mieux pour dominer les commodités de sa réputation (...). Un cas exemplaire : celui d'une carrière faite par un artisan manifestement qualifié que la profession utilise et qu'il utilise en retour » (*Encyclopédie du cinéma,* Bordas). Julien Duvivier : une soixantaine de films, dont sept avec Jean Gabin, tous les genres abordés avec une très lucide bonne volonté de maître d'œuvre qui fait bien son travail et se refuse à donner dans le génie. « Le génie, c'est un mot, a-t-il dit ; le cinéma, c'est un métier, un rude métier que l'on acquiert. Je n'ai pas d'illuminations. Rien chez moi ne se crée sans efforts » (*Dictionnaire du cinéma*, Larousse).

Avec
Julien Duvivier

Si le nom de Duvivier reste attaché à la carrière de Gabin, outre le nombre, c'est parce qu'il a réalisé avec lui en vedette quelques-uns des films les plus représentatifs de sa carrière, même si l'on met à part ce *Golgotha* où l'interprétation de Gabin, dans le rôle de Ponce Pilate, ne manque ni d'humanité ni de pittoresque : *Maria Chapdelaine, La Bandera, La Belle Équipe, Pépé le Moko,* plus tard *Voici le temps des assassins.*

Le Tunnel **(Kurt Bernhardt, 1933).**

**Le regard lointain
du déserteur perdu
(*Quai des brumes*,
Marcel Carné, 1938).**

Duvivier aura réussi à capter ce qui
flotte dans l'air du temps pour l'illustrer,
voire le mythifier : l'exotisme de la
Légion, le romantisme de la pègre, la
liberté du Front populaire, les congés
payés, etc. À chaque fois, il a fait donner à Gabin le meilleur de lui-même, son
réalisme. Des films qui vieillissent bien
et surtout, surtout, un Gabin étonnant,
plus vrai que nature même si, déjà, appa-
raissent certains tics qu'il finira par rendre mythiques eux aussi, comme ces
scènes de colère dont on a longtemps dit
qu'elles lui étaient coutumières, même
si l'un de ses proches a révélé que, dans
ses derniers films, elles lui étaient facili-
tées par quelques verres d'alcool.

COMME C'EST BIZARRE...

Les douze films
préférés de Jean Gabin :

1. *Un singe en hiver*
2. *Les Grandes
   Familles*
3. *Le Président*
4. *La Grande Illusion*
5. *Le jour se lève*
6. *La Bête humaine*
7. *Maigret tend un
   piège*
8. *La Belle Équipe*
9. *Quai des brumes*
10. *Touchez pas au
    grisbi*
11. *Pépé le Moko*
12. *La Bandera*

France-Soir,
6 septembre 1968.

UN PRO

« Gabin, c'est l'acteur
avec un grand A. J'ai
tourné avec des tas de
gens, je n'ai jamais
rencontré une telle
puissance
cinématographique ;
il est une force
cinématographique ;
c'est fantastique, c'est
incroyable ; ça doit
provenir d'une profonde
honnêteté. C'est
certainement l'homme
le plus honnête que
j'aie rencontré dans
ma vie. (...) Il n'y a
aucune ruse. »

Jean Renoir,
Cahiers du Cinéma,
Noël 1957.

À propos de *Golgotha*, il a confié à un journaliste de *Paris-Soir* le 6 octobre 1934 : « J'imagine que mon choix pour interpréter le rôle de Ponce Pilate dans la prochaine production de Julien Duvivier, *Golgotha*, ne manquera pas de surprendre bien des gens. Comment, Jean Gabin, tour à tour ouvrier, marinier, trappeur, navigateur, ingénieur, chaque fois sympathique mais chaque fois si près du peuple, dans le rôle du procurateur de Judée ? Quelle audace ! Pourquoi pas ? (…) *Golgotha* ne sera pas une production biblique telle que les Américains et les Allemands ont l'habitude d'en faire. (…) Le Ponce Pilate que j'interpréterai, c'est un soldat sorti du peuple, qui parvient à un poste important grâce à son courage mais qui, étant fonctionnaire — les proconsuls romains équivalaient à nos actuels préfets —, manque un peu d'initiative. En outre, il est dominé par sa femme, plus intelligente et plus arriviste que lui, laquelle croit au Christ à la suite d'un songe. »

Acteur complet

**Dans le rôle de Ponce Pilate
(*Golgotha*,
Julien Duvivier, 1935).**

Que penser de cette interprétation pour le moins hors du commun, qui fit dire à Henri Jeanson, talentueux mais perfide, que Gabin n'avait pas l'air de descendre du Golgotha, mais de la Courtille ? Une coiffure à frange, quelques scènes et une sorte de jeu de rôles avec Le Vigan aux yeux fous dans le rôle du Christ, Harry Baur dans celui de Caïphe, le grand prêtre, et Edwige Feuillère dans celui de Mme Pilate. Il serait intéressant de revoir ce film aujourd'hui. Peut-être réserverait-il des surprises et inciterait-il à une révision des jugements.

MA'AME PONCE

« (J'ai gardé) un bon souvenir d'*En cas de malheur* : j'aimais être dirigée par Claude Autant-Lara, photographiée par Natteau, affichée avec Bardot, et j'aimais retrouver Gabin. Nous nous étions perdus de vue depuis une première rencontre édifiante dans *Golgotha* de Julien Duvivier, où Robert Le Vigan était Jésus. Gabin, lui, promu gouverneur de Judée, était le Romain Ponce Pilate et moi, son épouse. Depuis lors, créant une tradition et s'y attardant, Gabin ne m'accueille plus que par un sonore : "Salut, ma'ame Ponce !" »

Edwige Feuillère,
Les Feux de la mémoire,
Éditions Albin Michel,
1977.

Jean Gabin s'est intéressé à Jean Renoir après avoir vu et revu *La Chienne* (1931) et il a toujours regretté que celui qui allait devenir l'un des plus grands metteurs en scène de sa génération n'ait pas fait appel à lui pour ce film. Les deux hommes ne devaient pas tarder à se rencontrer, surtout après *La Bandera* où le réalisateur du *Crime de M. Lange* a vu tout de suite quel parti il pourrait tirer de cet acteur décidément pas comme les autres, époustouflant de naturel et qui, à chaque fois, traversait

Un bout de chemin avec Jean Renoir

les films comme en se jouant, mais sans jouer, précisément. C'est l'année du Front populaire et, dans le même temps, le cinéma français s'intéresse beaucoup à la Russie, même si c'est celle des tsars.

Avec Annabella et Robert Le Vigan, dans *La Bandera* (Julien Duvivier, 1935).

Jean Gabin et Suzy Prim (*Les Bas-Fonds*, Jean Renoir, 1937).

De surcroît Jean Renoir, considéré par les producteurs comme le « grand metteur en scène de la gauche française », selon la formule de Roger Boussinot, a dans ses tiroirs l'adaptation par Jacques Companeez et E. Zamiatine des *Bas-Fonds* de Maxime Gorki, adaptation qui ne lui convient guère. Avec Charles Spaak, il a une tout autre idée de l'œuvre, d'autant que les producteurs sont très tatillons et exigent une affiche de prestige. D'où l'idée de situer l'action du film non en Russie mais à Paris, dans le milieu des Russes émigrés. Confier les rôles à des acteurs russes réfugiés en France, il n'y fallait pas songer. Ils y auraient cependant été plus à l'aise que Louis Jouvet, Robert Le Vigan, Jany Holt, Suzy Prim, Junie Astor et, bien sûr, Jean Gabin, tous excellents, certes, mais difficilement crédibles. Le résultat : une œuvre hybride, à mi-chemin du film commercial à tout prix et du naturalisme poétique cher à Renoir à l'époque. En 1936, le film n'en obtient pas moins le prix Delluc, l'équivalent, alors, du prix Goncourt en littérature. Renoir, cependant, est très satisfait de son principal interprète. Dans *Ma vie et mes films* (Flammarion), il écrit : « À propos des *Bas-Fonds*, je découvrais Jean Gabin ; c'était une découverte de taille. (...) Gabin était au sommet de son expression lorsqu'il n'avait pas à forcer la voix. Cet immense acteur obtenait les plus grands effets avec les plus petits moyens. (...) Gabin, d'un léger frémissement de son visage impassible, peut exprimer les sentiments les plus violents. »

L'amitié pour l'homme, l'admiration pour le cinéaste, nous sommes dans la grande période Gabin, celle où il sait flairer le bon projet, qui lui permettra de progresser à la fois dans son art et dans sa carrière, celle aussi où il sait dire non à des films où il ne se sentirait pas à l'aise, à des films inutiles, en un mot à des films qui le desserviraient. Jean Renoir rêvait depuis long-temps de réaliser un film contre la guerre et contre ses absurdités et, fort des confidences qui lui avaient été faites sur les camps de prisonniers en Allemagne lors de la guerre de 1914-1918, il avait demandé à Charles Spaak de travailler sur une idée qui lui paraissait forte : un camp de prisonniers avec quelques personnages typés, de classes sociales différentes et, bien sûr, une évasion. Tirer quelque chose d'original et de percutant de ces simples données n'était pas chose facile. Une première mouture du script écrite, les producteurs dirent non. Un film sur la guerre avec uniquement des hommes ! C'était l'échec assuré !

« La Grande Illusion »

« Le film que tous les démocrates devraient voir ! »
a dit F. D. Roosevelt (*La Grande Illusion*, Jean Renoir, 1937).

« Certainement l'acteur
qui a fait le plus de films
en restant lui-même,
sans composer. Il "est"
le déserteur, Pépé le
Moko, le copain de
La Grande Illusion.
Il trouve dans son ber-
ceau le talent de Gabin
père, acteur du Palais-
Royal, interprète de Rip.
Il sait tout du métier,
sa marche à petits pas
de danseur de java lui
vient d'un passage
aux Folies-Bergère.
Tout lui est possible : il
n'est que de l'entendre
chanter "La môme
caoutchouc". Après
avoir joué Flossie aux
Bouffes-Parisiens, il est
le partenaire de Miss
au Moulin-Rouge. Dans
Paris-Frou-Frou, du
jour au lendemain, ses
yeux bleus grand teint
vont faire fortune.
Tous les cinéastes se
l'arrachent. En 40,
il gagne les États-Unis.
Doué comme il l'est,
il parle très vite l'américain. Après la guerre,
il rejoue avec le même
bonheur. Et pour
couronner le tout :
Les Grandes Familles. »

Arletty,
La Défense,
Éd. de la Table Ronde,
1971.

Dans le rôle de l'ouvrier-mécanicien
d'aviation, Jean Gabin se voyait très bien ;
son côté Français moyen, sa gouaille, sa
désinvolture, son air bourru, aussi, con-
viendraient tout à fait à Maréchal, face
à l'officier aristocratique et au non moins
aristocratique directeur du camp. Il savait
de quel poids il pesait : une affaire pouvait être grandement facilitée, sinon se
monter avec son seul nom au générique.
Malgré cela, malgré tout son pouvoir de
persuasion — il s'entêtait à répéter aux
financiers que c'était ce film qu'il voulait
tourner, et pas un autre ! —, Renoir mit
des mois à trouver un producteur lucide
et téméraire pour tenter l'aventure.
Quand il y parvint, le scénario avait été
plusieurs fois remanié, tout comme la distribution. Tel acteur pressenti trouvait le
rôle trop mince ou n'était pas libre, tel
autre se voyait mal jouer un personnage
tellement différent de ceux qu'il avait
l'habitude d'incarner. Pierre Fresnay
avait dit oui, Dalio et Carette aussi.

Restait à distribuer le rôle du directeur du camp : une courte scène et quelques répliques. Par un hasard assez extraordinaire, un assistant de Renoir rencontre Erich von Stroheim au cours d'un cocktail. Il ne connaissait rien de la réputation du prestigieux réalisateur des *Rapaces* (1923-1925) et, innocent, lui parle du rôle non pourvu du film de Renoir. Surpris, Stroheim dit son intérêt, d'où une succession de quiproquos et de malentendus, qu'André Brunelin a racontés avec humour dans l'ouvrage qu'il a consacré à Jean Gabin (*Gabin*, Robert Laffont et J'ai lu). Une rencontre haute en couleur entre un Jean Renoir éperdu d'admiration et un Stroheim plus Stroheim que nature. Jean Renoir n'osait lui dire que le rôle était trop court et Charles Spaak dut modifier son script et écrire au fur et à mesure des scènes qui donnaient sans cesse à l'histoire des dimensions imprévues.◊ Stroheim acteur ne pouvait s'empêcher de faire sa propre mise en scène, de composer physiquement son personnage. L'uniforme, les décorations et la fameuse minerve, c'était lui.

Erich le grand

D'un œil parfois amusé, parfois sévère, presque toujours critique, Jean Gabin suivait les évolutions du film et ne prenait pas ombrage des multiples transformations que subissait le scénario, du moment que ce n'était pas au détriment de son propre rôle.

La Grande Illusion : **la fête des prisonniers se prépare.**

Pour aboutir à un chef-d'œuvre qui marque une date dans l'histoire du cinéma, le hasard prend parfois, on le voit, des chemins détournés. Contrairement à l'opinion des producteurs frileux qui n'avaient pas voulu risquer un sou dans l'aventure, le film, à sa sortie à Paris en juin 1937, connaît un énorme succès, presse et public se trouvant pour une fois d'accord. Un succès qui se prolongera à chacune de ses ressorties successives, le film ayant été interdit par les autorités d'occupation en dépit de l'astuce d'un distributeur de la zone libre qui pensait obtenir le visa de la censure allemande en refaisant le montage : il avait imaginé de situer la rencontre des deux fugitifs

Erich von Stroheim.

avec Dita Parlo, de nationalité suisse, en territoire helvétique, une fois la frontière franchie ! Le film ne reviendra sur les écrans qu'après la Libération.

C'est quelques années plus tard, curieusement, qu'une certaine critique émet des réserves. « Renoir, écrit Roger Boussinot dans son *Encyclopédie du cinéma* (*op. cit.*), n'a jamais abordé au monde des idées et les reproches que les intellectuels lui font le laissent pantois sans doute. Lui-même a proposé de son œuvre des interprétations non pas contradictoires mais successives et différentes : pacifisme, fraternité, Europe.

Les prémices de l'évasion (*La Grande Illusion*).

Les commentaires ont célébré ou contesté ou condamné, dans ce même film : pacifisme, patriotisme, fraternité, engagement, désengagement. »

Avec Gaby Morlay (*Le Messager*, Raymond Rouleau, 1937).

La Grande Illusion, qui va valoir à Jean Gabin une célébrité internationale, est encore au montage quand l'acteur se laisse séduire par un scénario anodin, qui n'a pas marqué la mémoire des cinéphiles : *Le Messager*, tiré par Marcel Achard d'une pièce de Henri Bernstein et mis en scène par Raymond Rouleau. Henri Bernstein, que son père admirait tant ! Est-ce le souvenir de cette admiration qui l'a incité à dire oui ? Peut-être, et peut-être aussi la conscience qu'il lui faut maintenant se renouveler. Les trois films qui ont haussé son nom au fronton des cinémas donnent de lui une image un peu trop stéréotypée à son goût. Il peut être quelqu'un d'autre que le légionnaire de *La Bandera*, l'ouvrier de *La Belle Équipe*, la gouape de *Pépé le Moko*. Le Gabin « Front popu », prolo, truand, ça suffit ; il est temps pour lui de montrer qu'il peut faire autre chose. Et comment mieux changer d'emploi qu'en se coulant dans un rôle tenu à la scène par un Victor Francen tiré à quatre épingles, parfaite incarnation des vertus bourgeoises ? Gabin succédant à Francen dans un emploi pour lequel on ne le croit pas fait, cela ne manque pas de piquant ! Le reste de la distribution, Gaby Morlay et Jean-Pierre Aumont, acheva de donner à ce drame conventionnel une patine qui déroute à la fois la critique et le grand public.

La Belle Équipe (Julien Duvivier, 1936) :
Raphaël Medina, Jean Gabin, Aimos, Charles Vanel.

Après ce faux pas, Gabin revient vite à son « image de marque » avec *Gueule d'amour*, sous la direction de Jean Grémillon. Un film de commande, certes, mais avec lequel il retrouve son public et qui vaudra à son réalisateur un succès

Jean Grémillon

commercial qui influera heureusement, pendant quelques années du moins, sur sa carrière. Tiré d'un roman d'André Beucler qu'avait remarqué Gabin, *Gueule d'amour* est une histoire comme le grand public des années 30 les aimait. Tous les ingrédients y sont : la garce rencontrée à Monte-Carlo, interprétée par une Mireille Balin alors en pleine gloire, l'officier de spahis, Jean Gabin, et le copain René Lefèvre. *Gueule d'amour* ou l'odyssée d'un être simple et fruste que sa naïveté, sa disponibilité désarmée exposent à tomber dans le piège féminin, jusqu'à la scène finale, conventionnelle peut-être, très sournoisement mélo, mais d'une grande justesse de ton. Un film pudique, où tout paraît vrai, où un Gabin en pleine possession de son métier atteint l'intensité dramatique qui alimentera son mythe. ∎

LA RÉFÉRENCE

« Jean Gabin, qui au fond n'était pas fou de cinéma, n'existe plus que par le Gabin de ses films. Pour nous, qu'il ait aimé la gloire ou non, c'est l'unique référence. Là, son existence est comme intemporelle.
À travers la fabuleuse supercherie que peut être une carrière en regard de l'homme qui l'accomplit, la *vérité de l'acteur* subsiste, et c'est la seule qui nous retient. Curieusement, elle survit à tout ce que l'on a raconté sur lui de faux, aux ragots charriés de pays en pays, ou plutôt cette vérité s'en avive. Et le constat est étrange qu'on ne peut à peu près rien retrancher à la légende fabriquée autour des idoles. »

Henri Rode,
Alain Delon,
Éditions Pac, 1982.

Mireille Balin et le prestigieux officier spahi
(*Gueule d'amour*).

Avec Arletty (*Le jour se lève*, Marcel Carné, 1939).

LE SUCCÈS
ET L'OUBLI

Peut-on parler des fastes années Gabin en les extrayant d'une longue carrière et d'une liste de près de cent films ? *1935 :* La Bandera, *de Julien Duvivier ; 1939 :* Le jour se lève, *de Marcel Carné. Entre ces deux dates, des films qui marquent d'une manière significative le cinéma français :* La Belle Équipe, Les Bas-Fonds, Pépé le Moko, La Grande Illusion, Gueule d'amour, Quai des brumes, La Bête humaine. *C'est que la guerre, le séjour aux États-Unis ont stoppé net l'ascension sur la voie royale. Gabin, même s'il n'est*

pas resté trop longtemps inactif, est de ceux qui auront connu la plus grande traversée du désert. Et dans tous les domaines. Les conditions économiques ont changé, les mœurs cinématographiques aussi. Le temps du jeune premier irrésistible est passé. Gabin est revenu d'Amérique les tempes prématurément blanchies ; il lui faut s'adapter à un cinéma qu'il ne reconnaît plus. Les goûts du public, aussi, ont changé. Alors, et parce qu'il veut continuer son « métier », il fait une espèce de tour d'horizon, aborde tous les genres, ce qui déroute encore un peu plus ses admirateurs.

**Lucas Gridoux,
inoubliable
dans *Pépé le Moko*
(Julien Duvivier, 1937).**

Il n'y a pas de commune mesure entre Les Vieux de la vieille *et* Le Président *et, même s'il ne veut pas prouver qu'il peut tout jouer, du clochard à l'aristocrate, qu'il peut être convaincant et crédible dans les rôles les plus divers, il est Gabin, il donne du Gabin à ses producteurs quand il ne se produit pas lui-même. Résultat : des entrées en dents de scie, sur Paris-banlieue : de 82 484 pour* Des gens sans importance *(1956) à 363 033 pour* La Traversée de Paris *la même année ; le chiffre retombe à 85 573 l'année suivante pour* Le Cas du docteur Laurent. *Il s'interroge, ne comprend pas. Que signifie cette désaffection à éclipses du public ?* ∎

■ *Gribouille*. La révélation : aux côtés de Raimu, une inconnue, presque une adolescente, qui tranche si nettement sur les jeunes premières d'alors qu'on ne peut pas ne pas la remarquer. Le film est en noir et blanc, mais on devine le bleu si particulier de ses yeux. La grande ombre de César ne l'a pas écrasée. Et le Tout-Cinéma de 1937 ne parle que de cette blonde aux yeux immenses : Michèle Morgan. D'emblée, on sait que celle-là fera carrière.

Le couple idéal du cinéma français

Après *Gribouille* (Marc Allégret, 1937), que proposer à cette jeune comédienne, toute finesse, tout intelligence ? Un film qui va la propulser tout en haut de l'affiche, avec un partenaire et un metteur en scène haut de gamme. Le premier s'appelle Jean Gabin et le second Marcel Carné. Le film, lui, *Quai des brumes* (1938), est tiré d'un roman de Pierre Mac Orlan.

Jean Gabin et Michèle Morgan (*Quai des brumes*, Marcel Carné, 1938).

**Avec René Génin, capitaine prometteur
d'ailleurs... (*Quai des brumes*).**

Aujourd'hui où ce chef-d'œuvre a fait le tour du monde, où il est considéré comme un classique, il paraîtrait évident qu'il se soit imposé d'emblée aux producteurs et à la critique. Il n'en a rien été. Quand on connaît les difficultés rencontrées par Marcel Carné pour monter l'opération, on ne peut s'empêcher de penser que le cinéma reste de toutes les aventures artistico-commerciales la plus risquée et la plus imprévisible. Un producteur qui décide de mettre le film en chantier sans connaître le roman dont Jean Gabin détient les droits, uniquement sur le nom de l'acteur, puis qui rogne sur tout afin de réduire au minimum les frais généraux, une censure vigilante très tatillonne parce que cette histoire de déserteur ne lui dit rien qui vaille, une critique dérangée, enfin, parce qu'elle est habituée à un cinéma de boulevard léger, sans surprise, inoffensif, et qui déjà se déchaîné contre Carné — un journaliste alors fort prisé ira jusqu'à écrire : « Un chien crevé au fil de l'eau »... Tout cela à propos de *Quai des brumes*, on croit rêver !

Jean Gabin fascine Michèle Morgan. Il a 34 ans, il est la séduction même, une séduction naturelle, sans aucune affectation. Elle, elle représente tout ce que le cinéma français n'a pas eu jusque-là à beaucoup d'exemplaires : la fraîcheur, la naïveté vraie, la beauté à l'état pur. Dans son livre *Avec ces yeux-là* (Éditions Robert Laffont-Opéra Mundi),

Marcel Carné

Michèle Morgan a très bien raconté la fascination réciproque qu'ils éprouvent dès la première rencontre. Cette entrevue a lieu au Fouquet's, où les attend Marcel Carné. Le séducteur-né use de tout son talent de charmeur et Michèle Morgan admire l'intelligence de l'homme qui en connaît toutes les ressources. Elle sait qu'à ce jeu elle n'est pas de taille à lutter ; elle sait aussi cependant de quelles armes elle dispose. A-t-elle conscience de l'enjeu ? Elle qui a été la vedette féminine de *Gribouille* et d'*Orage* (Marc Allégret, 1938) accepte de tourner un bout d'essai, même si le terme n'est pas employé par Carné. Un bout d'essai, comme une débutante !

À l'heure dite, elle est sur le plateau où Carné l'attend. Carné et un Gabin ponctuel, empressé, attentif, qui va lui donner la réplique. Elle est impressionnée par ce professionnel redoutable, qui ne laisse jamais rien au hasard. Et elle joue la scène imposée comme si elle était portée, comme si elle la vivait. Le silence s'est fait sur le plateau, ce silence qu'elle va si souvent connaître par la suite : l'équipe a marché. Le sort en est jeté, elle sera Nelly.

Michèle Morgan encore (*Remorques*, Jean Grémillon, 1941).

Michèle Morgan.

SOUVENIR...

« Jean Gabin,
je ne l'avais jamais
rencontré, même pas
aperçu. De lui,
je ne connaissais que
le personnage de ses
films, celui qu'il offrait
à tous : gouailleur,
un peu tombeur, avec
des tendresses dans
la clarté de l'œil,
des colères qui lui
blanchissaient les lèvres
— une par film. De
son image se
dégageaient une force
qui plaisait,
une élégance plus
proche de celle des
faubourgs que du
faubourg Saint-
Germain. À le voir
plus souvent vêtu en
trimardeur qu'en
prince, j'avais de lui
une image toute faite,
un stéréotype de
ses personnages...
Le souvenir que j'ai
conservé de cette
première rencontre :

le choc d'une étonnante
blondeur, rien de la
pâleur décolorée d'un
Nordique, un blond
chaud de blés au soleil.
Ses yeux bleus sous des
cils drus et dorés : un
paysage de Beauce et
de Brie. Quant au costu-
me, quelle découverte !
Une élégance très golf,
cachemire anglais,
strict costume en
prince-de-galles,
cravate club et bleuet
à la boutonnière, sa
coquetterie. Tout est
net en lui, il est ce que
j'ap███ berbement
réc█████ homme à
after-shave et lavande.
Il a la même aisance
dans cette tenue
que dans celle de
ses personnages,
à se demander qui est
dans la peau de l'autre,
du prince ou de
l'ouvrier. »

Michèle Morgan,
Avec ces yeux-là,
op. cit.

43

Remorques : une œuvre majeure.

Le tournage a lieu au Havre et Gabin joue alors avec elle au chat et à la souris. Celle-là n'est pas comme les autres. Elle est forte et elle est fragile, son regard marque les distances, et cela, au fond, n'est pas pour lui déplaire. Hors du plateau, elle est cependant sur ses gardes. « Tourner avec lui, c'est une révélation, une troi-

Actor's Studio avant la lettre ?

sième manière de jouer la comédie. Raimu, c'est la maîtrise d'un torrent. Boyer, le triomphe de la précision, une technique imparable. Gabin, c'est la vérité dépouillée, celle que l'écran impose. Il n'interprète pas son personnage, il le vit. Son naturel m'entraîne. Avec lui, mes répliques deviennent des réponses ! C'est Jean, le premier, qui m'a fait comprendre que devant une caméra, cet œil grossissant, impitoyable, il fallait ''jouer la vie'' » (*Avec ces yeux-là*, op. cit.).

La présence de Gabin a quelque chose de rassurant, qui déborde du cadre professionnel. Pour le dix-huitième anniversaire de Michèle, il lui offre une énorme gerbe de roses. Vient la scène, désormais classique et trop exploitée depuis, d'ailleurs, de : « T'as d'beaux yeux, tu sais… » Tout le personnel du plateau est attentif, d'autant plus que, pour la provoquer, Gabin a laissé entendre que Morgan ne doit pas savoir embrasser, et il s'est arrangé pour que l'information parvienne jusqu'à elle. Morgan a relevé le défi. Ce ne fut pas un baiser de cinéma et la scène ne fut jamais recommencée. Des deux, les échotiers n'ont jamais pu savoir qui fut le premier surpris.

Deux autres films vont réunir Michèle Morgan et Jean Gabin : l'année suivante, *Le Récif de corail*, sur la lancée de *Quai des brumes*, qui n'apporte rien à la gloire de son metteur en scène Maurice Gleize, recommandé par Gabin, ni à celle de ses deux principaux interprètes et, quelques mois plus tard, un film plus ambitieux : *Remorques*, de Jean Grémillon.

Jean a retrouvé la complicité qui l'a uni à une Michèle aujourd'hui disponible, comme il l'est lui-même. Un semblant de bonheur très court, puisque la guerre est là et que Jean a revêtu l'uniforme de premier maître de la marine. Le 2 septembre 1939, *Remorques* est interrompu, mais avec ce qui est déjà en boîte, Grémillon parviendra à effectuer un premier montage. Il reprendra le film en avril 1940 pour le terminer en studio au début de 1941. Un peu plus tard, il sera contraint de revoir son montage : il a quitté Paris en moto avec le négatif, il perd une bobine en route, qui ne sera jamais retrouvée. Et pourtant, grâce à son sens du rythme cinématographique et à son habileté, les raccords sont invisibles. *Remorques* est à marquer d'une pierre blanche dans sa filmographie, tout comme il reste l'un des films majeurs de Gabin.

Avec Madeleine Renaud (*Remorques*).

L'amour fou :
Jean Gabin et Simone Simon
(*La Bête humaine*, Jean Renoir, 1938).

« Jean est un acteur unique, il possède le don, il possède la grâce au sens religieux du mot. (...) Il a dans son physique, dans son jeu, une force étonnante, une puissance de moyens d'expression qui lui permettent de jouer "facile", presque toujours "en dedans". Moyens énormes donc, dont il ne met seulement qu'une petite partie dans l'action et c'est ce qui, à mon sens, caractérise sa façon de jouer "réel" de jouer "vrai". (...) Pour en arriver à créer les personnages qu'il a interprétés, il ne lui a pas suffi d'entrer dans la scène, il y a pensé, réfléchi, et leur a donné des caractéristiques. Gabin compose tous ses rôles. (...) L'étendue des émotions que peut fournir Gabin est immense, tout son art est de n'en donner que l'essentiel. (...) Je répète que ce qui me plaît chez Gabin c'est qu'il est un acteur qui travaille, et qui transpire en travaillant. »

Jean Renoir, interviewé par André G. Brunelin, *Ciné-Club*, avril 1954.

Tout gosse, on l'a vu, Jean Gabin rêvait de trains et de locomotives au point de décréter que, plus tard, il serait cheminot. L'immense vedette qu'il est devenu va réaliser son désir d'enfant : il va conduire la Lison dans *La Bête humaine* de Jean Renoir (1938), un film qui, avant sa réalisation, connaît bien des vicissitudes. Pour

« La Bête humaine »

satisfaire l'envie de Gabin de changer d'emploi, un premier projet est élaboré, il s'intitule *Train d'enfer* ; Jean Grémillon doit le mettre en scène et c'est finalement à Marcel Carné, qui a Gabin sous contrat, qu'on le propose. Mais, les mois passant, c'est à Jean Renoir — *Train d'enfer* ayant été définitivement abandonné — que Robert Hakim confiera l'adaptation et la réalisation de *La Bête humaine*, le roman d'Émile Zola, après un chassé-croisé avec Marcel Carné. En deux semaines, Renoir rédige un premier scénario, en écrit les dialogues, sachant que Jean Gabin sera l'interprète du rôle de Lantier. Du sur-mesure ? Pas encore, mais on peut penser que Renoir, qui connaît bien son homme, a conçu le personnage en fonction de sa personnalité.

Une œuvre réaliste ? Non, un petit théâtre ! (*La Bête humaine*.)

Adaptation fidèle au demeurant — jamais Zola n'a été mieux servi à l'écran — et, en même temps, illustration de tous les thèmes chers à Renoir, ce que Roger Boussinot appelle « la puissance destructrice d'un certain nombre de mythes bourgeois ». Aux côtés d'une Simone Simon dont Colette avait écrit qu'il fallait lui confier la fleur des scénarii fran-

Fidélité à Zola

çais, parce que c'était la meilleure de toutes et qui, effectivement, a fait de Séverine une composition toute d'instinct, de rouerie, d'innocence perverse, absolument parfaite, Gabin a rarement été plus à l'aise que dans le rôle de Lantier. Il ne placera pourtant *La Bête humaine* qu'en sixième position dans la liste de ses douze films préférés, liste établie par lui pour départager les concurrents d'un concours organisé par *France-Soir* le 6 septembre 1968. La même année, il confiera à Monique Sobieski, pour le *Journal du show-business* du 27 décembre : « *La Bête humaine* est un de ceux qui ont le mieux tenu le coup ! » Le « retour en arrière », qui allait être si souvent utilisé par la

« Le jour se lève »

suite, et pas toujours bien, n'était guère à la mode. On pourrait toutefois citer *Prison de femmes* (Roger Richebé, 1938) : dans ce film, l'écrivain Francis Carco tenait un rôle important. Enthousiasmé par le scénario de Jacques Viot racontant l'histoire de François, revenant sur son passé pour expliquer les raisons qui l'ont poussé à devenir meurtrier, Marcel Carné décide de tourner *Le jour se lève*. Pour le rôle de François, un seul acteur possible : Jean Gabin. Encore faut-il le convaincre de s'embarquer dans un film dont il se méfie quelque peu.

Beaucoup plus tard, l'interprète de *Quai des brumes* devait confier à Stéphane Epin, pour *Télé 7 Jours* (9 mai 1970) : « Ça a été un beau bide. À ce moment-là, on n'avait pas encore vu beaucoup ce qu'ils appellent le ''flash-back''. Le public n'aimait pas ça non plus. *Le jour se lève* a commencé à marcher seulement après la guerre. »

Marcel Carné, Frogerais, le producteur, et Jacques Viot partent pour Montgenèvre où Gabin est en vacances. Dans *La Vie à belles dents* (Éditions Belfond), Carné rapporte ce dialogue (Gabin à Carné) :

« Et toi, tu préfères vraiment cette histoire ?

— Sans l'ombre d'un doute, dis-je avec force.

— Dans ce cas, conclut Gabin s'adressant à Frogerais, puisque le môme est d'accord, y a qu'à tourner ça. »

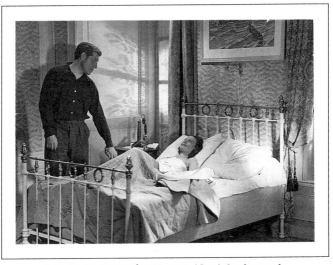

Jean Gabin et Michèle Morgan (*Quai des brumes*).

Le trio infernal (*La Bête humaine*).

Jacques Viot peaufine son scénario, Prévert, qui aurait voulu avoir la maîtrise de l'ensemble, paresse sur ses dialogues, Carné a du mal à faire admettre l'originalité et de l'histoire et de sa façon de la mettre en scène. Sorti trois mois avant la déclaration de guerre, le film est fort mal accueilli par une presse frileuse ; il est difficile de comprendre un tel aveuglement aujourd'hui où *Le jour se lève* est devenu un classique, qui n'a pas peu contribué à la gloire d'un Gabin quasi mythique. Jean Gabin a toujours été très discret sur sa vie privée. Loin des studios, il entendait mener l'existence de M. Tout-le-Monde, vie privée et vie publique ne devant pas se confondre. Chez lui, il n'était pas question de parler métier. La promotion, ce n'est pas son affaire et, face aux contrats, à l'argent, il n'a jamais su très bien se défendre. Une espèce de pudeur. En 1933, il rencontre Doriane, une femme superbe qui a fait un temps les beaux soirs du Casino de Paris. Elle le subjugue, il tombe amoureux d'elle et l'épouse. Femme de tête habile, Doriane s'occupe très vite de tout, en particulier des intérêts de son mari avec, semble-t-il, une certaine efficacité. Débarrassé de tout ce qui l'ennuie, il est heureux et se laisse vivre. Agent, attachée de presse sans

Doriane

Folie meurtrière (*Le jour se lève*).

en avoir le titre, elle dira plus tard qu'elle a « fait » Gabin, qu'elle lui a appris l'élégance, l'art de se tenir dans le monde et surtout, surtout, qu'elle l'a guidé dans le choix de ses films, de ses metteurs en scène, bref, qu'elle a été le Pygmalion d'un acteur qui, sans elle, aurait végété dans le comique troupier. De 1933 à 1940, c'est vrai, la filmographie de Gabin est éloquente. Mais il était Gabin avant elle et il le restera après. Ce que fut la vie du couple n'est pas d'un grand intérêt pour les cinéphiles, pas plus que les procès que Doriane intente à Gabin pour tenter de récupérer une partie des cachets qu'il a reçus pendant leur vie commune.

La séparation sera inévitable, d'ailleurs le départ de Gabin pour les États-Unis la favorisera. Nice, après l'Armistice. Même si beaucoup de metteurs en scène réfugiés en zone libre s'adaptent tant bien que mal aux circonstances et, en dépit d'énormes difficultés, préparent des films, Jean Gabin n'a pas de projets. Il n'aime pas attendre, il n'aime pas davantage ne rien faire.

Le départ

C'est alors qu'on lui fait savoir, discrètement mais fermement, que son retour à Paris serait bien vu, Paris où il pourrait trouver, grâce à l'U.F.A., des rôles à sa mesure. Or, il ne veut pas que son nom puisse servir, même indirectement, par le truchement de films, fussent-ils de prestige, une cause qui n'est pas la sienne. Dès lors, s'impose de plus en plus à lui l'envie de quitter un pays où il a peur de ne plus se reconnaître. Aux États-Unis, le cinéma français n'intéresse qu'un nombre restreint de cinéphiles, et le cas du *Sang d'un poète* de Jean Cocteau (1931), projeté depuis des années dans la même salle, n'est que l'arbre qui cache la forêt. Cependant, les dirigeants des grandes compagnies connaissent *La Bandera*, *Quai des brumes*, *Le jour se lève* et *La Bête humaine*. À la suite d'heureuses circonstances, Darryl Zanuck fait parvenir à Gabin un contrat qui lui permettra d'obtenir des autorités de Vichy un visa de huit mois

1933 : rencontre avec Doriane. C'est l'année de *L'Étoile de Valencia* (Serge de Poligny).

pour une « tournée de propagande ». Huit mois. Le temps de s'adapter à un milieu dont il ignore tout, huit mois pour assimiler les difficultés de la langue et pour tourner, bien sûr, le film que la Fox lui réserve. Du moins officiellement. Il est lucide, Gabin ; il sait que rares, très rares sont les comédiens français qui ont jusque-là réussi à s'imposer à Hollywood, encore plus rares les films de qualité qu'ils ont pu y interpréter.

La foule hurle (Howard Hawks,
Jean Daumery, 1932).

Et il sait aussi que des carrières si bien amorcées en France ont été laminées là-bas et que, pour un Louis Jourdan, pour un Charles Boyer qui avaient réussi à s'y faire une place, combien de Simone Simon, d'Annabella, de Michèle Morgan, de Micheline Presle alors en pleine gloire s'y sont usé ou s'y useront les dents. Mais les circonstances ne sont pas les mêmes. Il ne part pas à l'assaut de Hollywood, il quitte un sol et un cinéma qu'il ne reconnaît plus comme siens. Après un voyage mouvementé à travers l'Espagne et le Portugal, il parvient enfin dans la ville mirage où il tournera deux films qui ne marqueront d'une pierre blanche ni sa filmographie ni l'histoire du cinéma : en 1942, *Moontide* (*La Péniche de l'amour*) d'Archie Mayo, puis *The Impostor* (*L'Imposteur*, 1944) de Julien Duvivier.

L'imposteur : tourné aux États-Unis
sous la direction de Julien Duvivier (1944).

La légende veut que ce soit dans les studios de la Fox que se soit faite la rencontre qui va marquer un temps sa vie privée et sa vie artistique, celle de Marlène Dietrich. Marlène, « symbole vivant d'une séduction irrésistible autant que perverse », comme l'écrit Roger Bous-

« La Grande »

sinot dans son *Encyclopédie du cinéma* (*op. cit.*). Marlène, la star, l'inaccessible, le mythe. Gabin n'a pas 40 ans. Il ne ressemble en rien au sex-symbol américain tiré à quatre épingles, trop conventionnellement beau, trop parfait, gravure de mode aseptisée et composée sur un modèle unique. Gabin, qui sait transformer en tendresse et en ironie l'acier de ses yeux, qui fait vrai, humain, vivant, et dont le sourire est celui d'un enfant, tombe éperdument amoureux de celle qu'il appellera « la Grande ».

1945 : Jean accueille Marlène gare Saint-Lazare.

**Les anciens de la 2ᵉ D.B. : Jean Gabin,
Jean-Pierre Aumont et Claude Dauphin.**

Même s'ils n'affichent pas leur liaison, même s'ils ne paraissent pas se rendre compte qu'elle révolutionne les mœurs hollywoodiennes, ils passent au travers du feu des ragots sans se brûler. Ils vivent leur passion parfois orageuse sans se préoccuper des remous qu'elle provoque. Mais la guerre les rappelle à l'ordre, elle a soudain des exigences peu compatibles avec les coups de folie.

Gabin, qui n'est pas parvenu à maîtriser tout à fait une langue pour lui pleine d'embûches, a donc tourné deux films hybrides où il s'est senti mal à l'aise, mal employé, et Marlène est partie chanter pour les G.I. Alors, en avril 1943, il décide de quitter Hollywood et son cinéma conventionnel pour s'engager dans les fusiliers marins, mais pas pour une guerre d'opérette, une guerre de cinéma. Il fait sans forfanterie ce qui lui paraît nécessaire, impérieux, et il veut le faire bien. Le pétrolier *Elorn* l'emmène sur les côtes d'Afrique du Nord. Un peu plus tard, sur le *San Sirocco*, il prend en charge les jeunes recrues.

Nouveau départ

Et puis, on le retrouve avec la division Leclerc, de Royan à Berchtesgaden. Il y fait preuve « des plus belles qualités d'allant, de courage et de valeur militaire », ainsi que le précise sa citation à l'ordre de l'armée. Le cinéma est loin et pourtant il ne perd pas ses droits. D'où cette confidence amusée de Gabin : « À la lisière de l'Autriche et de la Tchécoslovaquie, où j'étais dans la tourelle de mon tank, j'ai aperçu Hans Albers, l'un des partenaires de Marlène dans l'inoubliable *Ange bleu* de Josef von Sternberg (1930). Il m'a regardé... et puis il m'a demandé si je tournais un film... » (*Salut Gabin !* de Jean-Michel Betti, Éditions de Trévise).

La guerre. La vraie. Il rabroue Marlène qui a réussi à le rejoindre ; des mois durant, il ne pensera qu'à faire bien ce qu'il a décidé de faire : son métier de soldat.

Marlène... superbe (*Martin Roumagnac*, Georges Lacombe, 1946).

Personne ne s'est jamais avisé de faire le compte des erreurs de jugement monumentales que les acteurs peuvent commettre quand on leur propose un scénario. Soit qu'ils privilégient tel sujet plutôt que tel autre, soit qu'ils refusent ce qui, malgré eux et sans eux, va devenir un immense succès. Ou bien encore qu'ils s'enthousiasment pour un sujet sans intérêt. L'obstination de Jean Gabin, des années durant, à vouloir tourner *Martin Roumagnac*, le roman de Pierre-René Wolf, obstination qui devait coûter si cher à sa carrière, fait partie de ces erreurs-là. « C'était, écrit André Brunelin, l'histoire d'un entrepreneur de maçonnerie qui s'éprenait d'une vamp de petite ville et qu'il tuait dans une crise de jalousie au moment où elle lui avouait qu'elle l'aimait sincèrement. Acquitté en raison d'un faux alibi, il était finalement abattu par un rival éconduit par la belle » (*Gabin, op. cit.*). Un personnage dont il croyait qu'il lui convenait parfaitement, peut-être parce que, par certains côtés, il lui rappelait celui de *Gueule d'amour* qui avait consolidé sa célébrité. Et puis, surtout, surtout, n'était-ce pas pour lui l'occasion d'être sur la même affiche que Marlène ?

« Les feuilles mortes se ramassent à la pelle »

Mireille Balin (*Gueule d'amour*, Jean Grémillon, 1937).

Un mélo sans imagination, un réalisateur qui laissait aux deux comédiens la bride sur le cou, une mise en scène indigente, tels étaient les reproches essentiels de la critique, et sans doute du public

Un retour difficile

qui bouda plus ou moins cette production. Quand, la guerre finie, Marcel Carné avait rappelé à Jean Gabin qu'ils avaient par contrat encore un film à faire ensemble, celui-ci s'était empressé de proposer à Carné et à Prévert ce *Martin Roumagnac* dont il détient les droits, mais le célèbre tandem cinématographique des *Visiteurs du soir* ne veut pas en entendre parler, même si les noms de Dietrich et de Gabin ont de quoi faire rêver plus d'un producteur.

Jacques Prévert a, lui, un projet : tirer un scénario d'un ballet, *Le Rendez-vous*, écrit par lui, Joseph Kosma et Brassaï pour Roland Petit. Gabin, Marlène et Carné vont le voir au théâtre Sarah-Bernhardt. C'est l'époque où, fatiguée des strass et du clinquant de Hollywood, des vicissitudes de la guerre aussi, Marlène, toujours très amoureuse, fait des escapades en Normandie où Gabin souhaite construire pour elle une ferme de grand style.

« Personnellement, je refuserai systématiquement de faire des films avec cinq vedettes : Fernandel, Michèle Morgan, Jean Gabin, Gérard Philipe et Pierre Fresnay. Ce sont des artistes trop dangereux qui décident du scénario ou le rectifient s'il ne leur plaît pas. Ils n'hésitent pas à imposer la distribution ou à refuser certains partenaires. Ils influencent la mise en scène, exigent de gros plans. Ils n'hésitent pas à sacrifier l'intérêt du film à ce qu'ils appellent leur standing et portent, selon moi, la responsabilité de nombreux échecs. »

François Truffaut,
Arts,
29 avril 1959.

François Truffaut.

57

Avec Pierre Brasseur (*Quai des brumes*).

En attendant que cette demeure hollywoodienne soit bâtie, ils s'installent à Dreux. Ils lisent une première mouture du *Rendez-vous*, devenu *Les Portes de la nuit*. S'ils sont déjà réticents, ils ne le montrent pas encore. Marlène n'aime pas beaucoup cette image noire de la France de l'Occupation que le film, selon elle, risque de donner, et Gabin se voit mal dans la peau d'un résistant, lui qu'on a accusé à tort de s'être expatrié pendant le temps de la grande misère. Ils commencent à demander des modifications, des coupures, ce que Prévert et Carné acceptent de plus en plus difficilement. Fatale erreur de Gabin : si Carné n'était certes pas un débutant au moment de *Quai des brumes*, *Les Visiteurs du soir* et *Les Enfants du paradis* ont entre-temps fait de lui l'un des plus grands réalisateurs français, tout comme de Prévert un scénariste-dialoguiste de tout premier plan. Agacés de voir leur travail sans cesse remis en cause, ils se montrent de plus en plus réservés à mesure que les exigences des deux stars augmentent.

Les Visiteurs du soir (Marcel Carné, 1942).

Abus de prérogatives

« HERVÉ LE BOTERF : À Marseille, Jean Gabin tournait *Le Port du désir*. Il y avait une séquence sur un dock flottant qui prévoyait une longue tirade, ce que vous appelez, je crois, un "tunnel". Très calmement, Gabin a pris son stylo et a rayé les deux tiers de sa réplique, en me disant avec un clignement d'œil malicieux : "Tu vas voir, ce sera bien mieux comme ça !"
MAURICE RONET : Est-ce qu'il avait raison ?
HERVÉ LE BOTERF : Eh bien, oui ! J'en suis persuadé. Il avait une telle connaissance de son métier qu'il était, peut-être, le seul à percevoir l'inconvénient d'un verbiage inutile. Mais je reconnais que cette faculté de juger n'appartient qu'à des acteurs véritablement expérimentés. Cela peut être fort dangereux car tout individu, si qualifié soit-il, est faillible. Songe à ce que Gabin aurait pu faire, dix-huit ans auparavant, s'il avait sabré de la même façon le dialogue de *Quai des brumes* ! »

Maurice Ronet,
Le Métier de comédien,
entretiens
avec Hervé le Boterf,
Éditions France-Empire,
1977.

**Daniel Gélin et Maurice Ronet, protagonistes
de *Rendez-vous de juillet* (Jacques Becker, 1949).**

Marcel Carné écrit : « Marlène qui, ainsi que toutes les grandes vedettes de Hollywood, avait signé avec Pathé un contrat où il était stipulé que son engagement ne deviendrait définitif qu'après son acceptation du scénario, prenait connaissance de celui-ci scène après scène. Dire qu'elle se montrait enthousiaste serait mentir.

Incertitudes

Aussi entendait-elle être mêlée personnellement à l'élaboration du sujet et nous faisait-elle mille propositions de changements qui nous paraissaient, à Jacques et à moi, toutes plus ineptes les unes que les autres. Pour n'en citer qu'une dont j'ai gardé le souvenir, elle imaginait une scène où on la voyait — en pleine nuit — descendre d'un fiacre et payer le cocher avec un billet qu'elle extrait de son bas ! Bref, le genre ''Paris by night''. On faisait naturellement à ces propositions l'accueil qu'elles méritaient » (*La Vie à belles dents, op. cit.*).

La première, Marlène décide de renoncer à son rôle. Gabin devait suivre un peu plus tard, usant, d'après Carné, d'arguments peu convaincants. La presse s'excitait sur la rentrée en France du couple Gabin-Dietrich et Gabin profita du tapage autour de l'affaire pour ressortir son *Martin Roumagnac* d'un tiroir. Marlène en fermière normande, ça ne manquait pas de sel. Une critique sans tendresse, un public réticent ; Gabin mettra des années à se remettre d'un échec d'autant plus cuisant que ce film passionnément attendu marquait sa rentrée, après sept ans d'absence.

Marlène Dietrich.

Daniel Gélin, qui a fait partie de la distribution, écrit dans son recueil de souvenirs paru chez Julliard : « *Martin Roumagnac*, ce très mauvais film de Georges Lacombe, subit mille transformations, mille mixages pour être amélioré. En vain. Aujourd'hui, on ne peut même plus en trouver une copie originale et des cinéphiles n'hésitent pas à affirmer que Gabin a racheté un jour la dernière copie existante. Non pas pour la conserver comme un souvenir, mais pour la détruire. Pour effacer aussi, peut-être, jusqu'au souvenir même de Marlène. »

Des amours touchantes de collégiens, et puis une passion qui s'effrite. Marlène se supporte de plus en plus difficilement en France. Elle repart pour Hollywood tourner un film. C'est la faille. Suivront des allers-retours plus ou moins longs, des retrouvailles, des fâcheries, des réconciliations, jusqu'à la séparation classique.

Daniel Gélin.

Marlène est en conflit avec sa fille. Elle doit, impérativement, retourner aux États-Unis. « Si tu pars, c'est fini entre nous ! » dit un Gabin très calme, pas sûr de ne pas jouer un mauvais mélo. Elle n'en croit pas un mot, prend congé, et l'on connaît la suite. Gabin en est à ce point affecté que deux de ses biographes écriront plus tard qu'il ne supportera plus qu'on prononce devant lui le nom de Marlène, qu'il appelle désormais « la Prussienne » et qu'il éteint net la télévision quand son image apparaît sur le petit écran. Dans *Les Portes de la nuit*, on le sait, Yves Montand, alors presque débutant, remplaça Gabin, et Nathalie Nattier, Marlène. Dans des rôles pas faits pour eux, ils furent moins mauvais qu'on ne l'a dit ; ce qui paraît évident aujourd'hui, c'est que si Marlène et Gabin n'avaient pas manqué à ce point de flair en rompant leur contrat, ils auraient fait une

La rupture

Le substitut Marlène et Gabin : Yves Montand et Nathalie Nattier
(*Les Portes de la nuit*, Marcel Carné, 1946).

rentrée autrement plus retentissante, et autrement plus prometteuse, aussi, qu'avec *Martin Roumagnac*. Nul doute aussi que la carrière de Marcel Carné, condamné fort injustement à de successives traversées du désert, en eût été changée. Gabin a dépassé la quarantaine. L'homme mûr, aux tempes prématurément blanchies, a succédé sans perdre de son charme au séducteur gouailleur, œil ravageur, drôle, sobre, efficace des années 30, que le public adorait. Il mettra des années à faire admettre à ce public resté fidèle le nouveau Gabin, le Gabin désabusé, souvent amer, qui n'a plus l'air de croire en ce qu'il fait et, à force d'acharnement, reviendra bien sûr en haut des affiches, mais qui ne retrouvera plus, sauf à de rares exceptions près, le Carné, le Renoir, le Becker des grandes années. Cependant, se remettre en cause, devenir un « homme de métier », c'est ce que va faire un Gabin dont l'œil bleu reflétera désormais plus souvent le désarroi que la séduction. Tout en restant fidèle, pourtant, à une redoutable image de marque. ∎

RÉALISATEURS PRÉFÉRÉS

Dans *Le Film vécu* du 9 mars 1950, Gabin écrit : « Je m'en voudrais de terminer ces notes rapides sans adresser un bien cordial coup de casquette aux quatre hommes avec qui j'ai pratiquement fait toute ma carrière de cinéma : Julien Duvivier, Jean Renoir, Marcel Carné, Jean Grémillon — "Dudu", "le Gros", "le Môme" et "le Breton" —, quatre grands metteurs en scène, quatre "potes" ! » Quatorze ans plus tard, il rectifie le tir en confiant à Maurice Tillier pour *Le Figaro Magazine* (11 juin 1964) : « Seuls deux metteurs en scène m'ont apporté quelque chose. Ils se nomment Duvivier et Renoir. »

Jean Renoir.

63

LE
RETOUR

Avec Alain Delon, le complice

(Mélodie en sous-sol, Henri Verneuil, 1963).

Pour beaucoup, la carrière de Jean Gabin, sa vie aussi constituent un perpétuel sujet d'étonnement. Après les années 40, il a tourné beaucoup plus de films médiocres que de bons, il a vécu en sauvage beaucoup plus qu'en star. Les apparentes raisons de ce permanent porte-à-faux, il faut peut-être les chercher dans son acharnement très paysan à marquer son territoire. Ses terres de Normandie, il les avait gagnées en travaillant dur, en étant sans cesse sur la brèche, en s'investissant toujours totalement, aussi bien dans des

Le rêve secret.

films qu'il n'aimait guère mais qu'il croyait capables de retenir son public qu'en exploitant avec une bonne foi totale des terres que lui disputeront des paysans en colère. Il aimait la terre, le « bien », non pour lui, mais pour les siens ; il râlait contre le fisc qui l'imposait lourdement, contre la Nouvelle Vague, non parce qu'elle lui faisait grand tort en le vieillissant et en le démodant d'un seul coup, mais parce que ses turbulents tenants qui voulaient tout faire : scénario, dialogues, mise en scène, ne savaient, selon lui, ni bâtir ni raconter une histoire. À un orgueil d'autodidacte qui avait réussi se mêlait une crainte quasi permanente de n'être plus à la hauteur. Qu'était-il venu faire dans cette galère ? À Jean-Claude Mazeran du Journal du Dimanche, il a confié le 17 octobre 1971 : « Que voulez-vous, je suis "feignant" de nature ! » Il n'aimait rien tant que la vie de famille, rien ne comptait plus que les siens, les réunir à La Moncorgerie fut longtemps son obsession. Dans le même temps, c'est peut-être ce besoin du « clan » qui lui fit rechercher une famille ciné-

Lelouch, Berri, Truffaut : la Nouvelle Vague.

matographique, qui l'aide, l'entoure, le comprenne, le serve aussi, sans grands discours. Il avait ses scénaristes, ses dialoguistes, ses metteurs en scène favoris, son habilleuse aussi, quarante ans durant — la seule peut-être à l'avoir vraiment connu — et si, après quelques scènes retentissantes, il eut à se séparer de plusieurs d'entre eux, ce ne fut jamais pour des raisons mesquines. Selon lui, ils avaient failli à l'amitié ou à l'idée qu'il se faisait de son métier, ou encore à cette rigueur dans le travail qu'il exigeait de tous. ■

■ Gabin s'est réconcilié avec Carné pour tourner *La Marie du port* (1950) ; c'est même lui qui a suggéré le nom du réalisateur de *Quai des brumes* aux producteurs. Et si Carné était capable de retrouver la veine et le succès des grandes années ? On s'est interrogé. Gabin et Carné s'étaient fâchés après que, entraîné par Marlène Dietrich, Gabin avait finalement renoncé à

« La Marie du port »

tourner *Les Portes de la nuit*. Depuis trois ans, Carné n'a pas remis les pieds sur un plateau de cinéma et l'échec des *Portes de la nuit* y est évidemment pour quelque chose. Par la suite, une sorte de fatalité s'est acharnée sur lui, avec son lot d'idées reçues. On se souvient du mot assassin de Cocteau, qui se voulait un bon mot, une pirouette de saltimbanque, et qui devait lui causer tant de mal : « Si Carné avait besoin d'un immense terrain vague, il n'hésiterait pas à faire raser Paris ! »

Avec Nicole Courcel (*La Marie du port*, Marcel Carné, 1950).

Jules Berry, Jean Gabin, Arletty
***(Le jour se lève,* Marcel Carné, 1939).**

   Sous de fausses apparences, Gabin est un tendre ; c'est aussi, viscéralement, un honnête homme. Sans le vouloir vraiment, et sans jamais expressément l'admettre, il sait avoir fait du tort à Carné, et l'imposer au producteur Sacha Gordine pour *La Marie du port* lui paraît aller de soi. Chacun, de surcroît, peut y trouver son compte, Carné en retravaillant, Gabin en redevenant le héros d'un nouveau *Quai des brumes* ou d'un nouveau *Jour se lève.* Mais rien n'est plus comme avant et le miracle ne se renouvelle pas. Les deux hommes sont moins complices qu'aux temps heureux ; ils ont l'un et l'autre un caractère difficile et le doute commence à envahir Gabin : et si le grand public s'intéressait moins à lui ? Cela peut paraître surprenant, mais c'est ainsi, chaque fois qu'il signe un contrat, il se demande si ce ne sera pas le dernier. Une carrière brutalement interrompue par défaut, en quelque sorte, pourquoi pas ? Il se répète alors cette vérité première : rien ne vaut la terre et la pierre.

Succès moyen pour *La Marie du port*, succès moyen pour la plupart des films qui suivent. Jean Gabin doit se rendre à l'évidence : les acteurs qui attirent les foules du moment, ce sont Gérard Philipe, Fernandel, Eddie Constantine, ce n'est plus, comme il n'y a guère, Jean Gabin. De plus, les cachets qu'il touche désormais,

De nouveaux partenaires

tout en étant confortables, n'ont rien de comparable avec ce qu'il gagnait autrefois. C'est pourquoi — il ne devait plus s'arrêter — il tourne un peu n'importe quoi, même si un film sur deux, en moyenne, fait encore illusion. Mais le grand Gabin n'est plus seul en haut des affiches. Souvent, le nom de ses partenaires est inscrit en caractères aussi gros que le sien aux génériques. C'est ainsi qu'il fait équipe avec Danielle Darrieux, Michèle Morgan, un peu plus tard avec Jean-Paul Belmondo, Alain Delon, avec Brigitte Bardot, Simone Signoret, avec Louis de Funès, avec Sophia Loren. Cet homme de bon sens, les pieds bien posés sur le sol, en a conscience, comme il a conscience de l'insignifiance de certains de ses films.

Marcel Carné tourne *Les Portes de la nuit* (1946).

Ils se sont connus tôt dans les studios et Jean Gabin a apprécié cet assistant consciencieux, ponctuel, amoureux du travail bien fait. Gilles Grangier tourne son premier film, *Adémaï bandit d'honneur*, en 1943, une vingtaine d'autres en dix ans, jusqu'à ce que, en 1953, Gabin, sous contrat avec la firme Sirius qui lui laisse le choix du réalisateur, propose son

La rencontre avec Gilles Grangier

nom pour tourner *La Vierge du Rhin*, d'après le roman de Pierre Nord. Ce sera le début d'une amitié comme Gabin les aime, faite de pudeur, de complicité, de respect mutuel. De mille autres choses, aussi. Dans *Flash-Back* (Les Presses de la Cité), Gilles Grangier écrit : « Il y a eu entre nous de véritables rapports de couple : des hauts et des bas, des jalousies, parfois des férocités, du meilleur et du pire, beaucoup de joies et pas mal de grognes. » De 1953 à 1968, ils tournent ensemble onze films, parmi lesquels *Gas-oil*, *Le rouge est mis*, *Le Désordre et la Nuit*, *Maigret voit rouge* et *Archimède le clochard*, méprisé par la critique, mais qui vaut pourtant à Gabin le Grand Prix d'interprétation au Festival de Berlin.

Gabin, on l'a vu, aime travailler avec une équipe où, de film en film, il retrouve les mêmes visages, les mêmes habitudes, le même « confort », s'il est possible d'employer ce mot. Grangier fait partie de ceux qui ont le mieux compris son besoin de sécurité, de convivialité, de certitudes. Et Grangier le fidèle sera au dernier rendez-vous, quand les cendres de Gabin seront dispersées dans la mer d'Iroise. Pas de chef-d'œuvre, au demeurant, mais des films consciencieusement faits et quelques beaux succès commerciaux.

Avec Roger Hanin (de dos) et Ginette Leclerc (*Gas-oil*, Gilles Grangier, 1955).

1955, *Gas-oil*. Trois noms réunis pour la première fois sur une affiche : Jean Gabin, Gilles Grangier, Michel Audiard. Avant de venir à l'écriture, Michel Audiard a exercé tous les métiers : soudeur à l'arc, coureur cycliste, porteur de journaux. Un temps journaliste, il écrit des papiers à l'emporte-pièce fort brillants ; dialoguiste, il élève à la hauteur d'une institution les phrases pittoresques qu'il entend dans la rue et dans les bistrots. « Le métier de dialoguiste, dit-il, ne s'apprend pas. La réussite vient de savoir écouter les gens. Le dialogue est une espèce de vérité des mots à l'intérieur d'une situation. » Il joue volontiers à l'autodidacte, au prolo, mais connaît son Céline — il rêve même de porter à l'écran *Voyage au bout de la nuit* — sur le bout du doigt.

Bout de chemin
avec
Michel Audiard

Séduit par sa verve, Gabin l'adopte et, des années durant, Audiard va écrire pour lui des adaptations et des dialogues toujours en situation, peut-être moins sur mesure qu'on ne l'a dit, mais qui lui vont

Le truand Roger Hanin corrigé par Jean Gabin (*Gas-oil*).

comme un gant. Vient la brouille après que, dans *Mélodie en sous-sol* (1963), Audiard impose un comédien, écrit pour lui un beau rôle, que Gabin trouve inutile. Gabin a parfois le ressentiment tenace quand il croit avoir été trahi.

CÉLINE, TOUJOURS

« Nous avions, avec Audiard et lui, des séances épiques en essayant de coller Gabin sur les divers palmarès du Tour de France depuis sa création et sur la liste chronologique des champions du monde de boxe. Une nuit, Audiard, excédé, tenta d'élever le débat : "Tu ne vas pas me dire que c'est une érudition, ça ! On le sait, tu n'as jamais rien lu d'autre que *L'Équipe* et *L'Auto* dans toute ta vie ! Tiens, si on parlait un peu de Céline ?" Là-dessus mon Gabin, impavide sous l'insulte, lui récita par cœur trois pages du *Voyage au bout de la nuit* ! N'oublions pas qu'il avait fréquenté Jacques Prévert, qui lui avait fait lire les bons auteurs... Mais quand un journaliste maladroit lui cassait les pieds, il en rajoutait dans l'inculture, et si vous lui aviez parlé de Chateaubriand, il vous aurait répondu que c'était un square ! »

Gilles Grangier,
Flash-Back,
Les Presses de la Cité,
1977.

Chiens perdus sans collier (Jean Delannoy, 1955).

Néanmoins, ils se retrouveront cinq ans plus tard ; le nom d'Audiard apparaît de nouveau, aux côtés de celui de Gabin, sur l'affiche du *Pacha* de Georges Lautner (1968).

En 1971, devenu réalisateur de films non conformistes qui obtiennent quelque succès, Audiard propose à Gabin le rôle principal dans *Le drapeau noir flotte sur la marmite*, une expression qu'il a empruntée à Gabin lui-même.

Jonglant avec la démagogie, le clin d'œil frisant la vulgarité, moins faciles cependant qu'on pourrait le croire, les dialogues d'Audiard ont marqué, qu'on le veuille ou non, d'une griffe difficilement imitable un certain cinéma français populaire. Jusqu'à *Garde à vue* de Claude Miller (1981) où là, pour un de ses derniers films, Audiard signe des dialogues efficaces, d'une remarquable sobriété.

Le creux de la vague en cette année 1949, et une critique qui n'est pas tendre pour un Gabin sur la défensive. Alors il lance à cette critique et il se lance aussi à lui-même un défi : remonter sur les planches. L'idée fait d'autant plus son chemin qu'il pense souvent à l'envie

« La Soif »

jamais satisfaite qu'avait son père de jouer du Bernstein, pour lui le plus grand dramaturge de son temps ou peu s'en faut. Henri Bernstein écrit *La Soif*, le Théâtre des Ambassadeurs offre à Gabin deux partenaires de poids : Madeleine Robinson et Claude Dauphin, et vogue la galère. Elle va voguer de longs mois, avec un succès qui ne se démentira pas.

Aux Ambassadeurs, Jean Gabin, Madeleine Robinson et Claude Dauphin dans *La Soif*, d'Henri Bernstein.

« Sa tristesse est celle de la tripe. Il n'y a plus de bismuth qui puisse guérir Gabin de son mépris pour l'époque. C'est un grand fauve, bâti à chaux et à sable, et même vieux, il se tient encore mieux à table qu'à cheval. Celui qui lui a vu mastiquer un cassoulet n'y mettrai pas la main. Ses ratiches incisives aidées des prémolaires agissent comme des tronçonneuses. Pépé le Moko est devenu une vieille bête dont le regard bleu acier est toujours insoutenable. Cette énorme carcasse recèle encore toutes les malignités dont l'acteur est capable. Il reste le plus grand et le plus fantastique véhicule du verbe. En ce qui me concerne, je lui dois ma carrière. »

Pascal Jardin
Guerre après guerre
Éd. Bernard Grasset
1973

Auteur et interprètes de *La Soif*.

Le mariage avec Dominique Fournier le 24 mars 1949.

Le plus redouté des critiques d'alors, capable, en un seul article, de remplir une salle ou de la vider, Jean-Jacques Gautier, écrit dans *Le Figaro* : « Jean Gabin possède une ''masse'' exceptionnelle, une autorité hors pair. Son apparition et ses déplacements remuent l'air de la salle. Il ne gesticule pas, bouge à peine le petit doigt, parle presque bas et tout le monde est là, tendu. Tous ceux qui voient défiler chaque soir d'excellents acteurs restent court devant ce phénomène dramatique. » C'est pendant les répétitions

Dominique

de *La Soif* que Jean Gabin fait la connaissance de celle qui va devenir la femme de sa vie, lui donnera trois enfants et assistera à la dispersion de ses cendres : Dominique. Une grande jeune femme blonde, élancée, d'une beauté sereine, qui a été mannequin chez Lanvin. Les pommettes saillantes, une vague ressemblance avec Marlène, mais une douceur, une faculté d'adaptation et, en dépit de sa timidité, une solidité dont Jean a besoin en cette période où il doute de tout, de son métier, de son impact sur le public, où il a l'impression que la course aux contrats va lui être imposée. Elle est là, Dominique, elle lui offre ce bonheur auquel il ne croyait plus guère et qui le rééquilibre sans cesse. La Dominique des bons et des mauvais jours, celle qui, discrète et efficace, le sécurise. Lui qui a fait trembler plus d'un metteur en scène et plus d'un partenaire retrouve son enthousiasme, sa timidité, aussi, d'adolescent, sa vulnérabilité pudique. Une première fille, Florence, naît pendant les représentations de *La Soif* : plus tard viendront Valérie et Mathias.

« (...) Un homme comme Jean, doublé de l'acteur qu'il était, ne pouvait pas être quelqu'un au tempérament simple. Les personnages si divers qu'il a interprétés ont successivement laissé des traces en lui qui se sont ajoutées à sa très forte personnalité. Mais, sous son aspect puissant et sûr de lui, Jean était en réalité un être extrêmement sensible et vulnérable. »

Dominique Gabin, citée dans *Gabin*, André Brunelin, Éd. Robert Laffont, 1987, et J'ai lu, 1989.

M. et Mme Jean Gabin quittent la mairie.

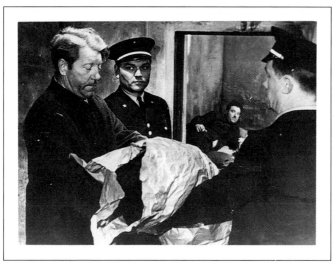

Le rideau baissé sur la pièce de Bernstein, Gabin part tourner en Italie *Pour l'amour du ciel* de Luigi Zampa. L'année suivante (1951), il enchaîne avec deux autres films : *Victor* (Claude Heymann) et *La nuit est mon royaume* (film de Georges Lacombe, le metteur en scène controversé de *Martin Roumagnac*) et puis Max Ophuls lui offre une grande joie : le personnage de Joseph Rivet, le jovial et naïf paysan normand de *La Maison Tellier*, un des volets du *Plaisir*. Une distribution

Au fond, Jacques Morel (*Victor*, Claude Heymann, 1951).

époustouflante, une critique enthousiaste, un succès public et l'année suivante, à nouveau, la ronde des films moyens, à l'audience fluctuante.

Dominique est là, qui épaule, qui rassure Gabin. Elle est la compagne, la vraie, celle qui partage tout, même les craintes que le pudique n'extériorise pas. Au début des années 50, elle n'est vraisemblablement pas pour rien dans la décision de son mari d'acheter des terres. Elle préférerait de la pierre, mais il s'entête. Sans doute est-il moins payé qu'avant guerre, sans doute pourrait-il exiger des cachets plus élevés, mais il tourne et chaque film va représenter pour lui, hectare après hectare, ce domaine où il va s'investir tout entier, La Pichonnière, puis La Moncorgerie. Gabin croit avoir fixé définitivement ses racines. L'obscurantisme et la bêtise lui démontreront, hélas ! quelques années plus tard l'inanité de cette certitude.

Rien de commun, en apparence, entre Jacques Becker, le réalisateur de *Casque d'or* (1952) et l'interprète de *Leur dernière nuit* et de *La Vierge du Rhin*, film avec lequel Gabin a inauguré le « cycle Grangier ». Gabin tourne, beaucoup, parce que, dit-il, tel film, c'est tant d'hectares de bonne terre, tel autre tant de vaches. Ces années-là, comme il voit surtout dans le cinéma un moyen de se procurer de l'argent, beaucoup d'argent pour faire des élevages de La Pichonnière d'abord, de La Moncorgerie ensuite,

Avec
Jacques Becker

un domaine d'importance, il perd un peu de cette intransigeance qui, dans les grandes années, lui faisait refuser avec superbe plus de films qu'il n'en tournait. C'est vrai aussi que les propositions ne sont plus aussi abondantes. Certes, son redoutable œil bleu est resté le même, mais il prend conscience qu'un certain nombre de rôles ne sont plus désormais dans son registre. Il lui faut donc en trouver d'autres, convenant mieux à son physique de quinquagénaire, à son visage qui a cessé d'être celui d'un jeune premier, à son tempérament aussi. Des rôles à sa taille que, de surcroît, lui seul peut interpréter.

On le sait, si *Casque d'or* est devenu un classique du cinéma, s'il a fait les belles soirées des ciné-clubs avant d'être par la suite régulièrement programmé à la télévision, il n'a pas apporté à Jacques Becker la sécurité d'une carrière continuée en dents de scie : succès d'estime pour *Rue de l'Estrapade*, mais pas succès public massif, ce succès public après lequel il courait en vain.

Marc Michel et Jacques Becker (*Le Trou*, 1960).

Dora Doll, Jeanne Moreau, Jean Gabin
(***Touchez pas au grisbi***, Jacques Becker, 1954).

Un polar ? Un bon polar, ça marche toujours… Et *Touchez pas au grisbi* d'Albert Simonin, un des fleurons de la Série Noire, est le type même du polar adaptable pour l'écran. En collaboration avec Maurice Griffe et Simonin lui-même, Becker écrit un scénario exigeant, où tout est rigoureusement en place : il ne lui manque plus que de trouver la distribution idéale.

Un premier malentendu : Becker juge Gabin trop vieux pour le rôle de Max, dont tous ceux qui ont eu connaissance du scénario disent pourtant qu'il est fait pour lui. Daniel Gélin, qui a été son si brillant interprète dans *Rendez-vous de juillet* (1949), *Edouard et Caroline* (1951), *Rue de l'Estrapade* (1953), et qui est un peu son acteur fétiche, à qui le rôle est proposé, dit non et suggère de prendre Gabin. Becker, toujours réticent, s'interroge. En occupant toute la place comme cela lui arrive parfois, Gabin ne va-t-il pas déséquilibrer son film ? Et ne va-t-il pas exiger que le scénario soit adapté à ses mesures ? C'est alors, ne désarmant pas, que Becker pense à François Périer. Périer, dont il connaît le souci de prendre le tournant de l'âge. Mais, si remarquable interprète qu'il soit, François Périer en tête d'affiche, ce n'est pas le succès assuré. Or, Becker le veut, son grand et franc succès public ! Il a beau envisager toutes les solutions, tout le ramène à l'irremplaçable Gabin.

Il cède aux pressions des producteurs et se décide à soumettre le découpage de *Touchez pas au grisbi* (1954) à un Gabin d'emblée séduit et qui dit oui, à condition que le problème François Périer soit réglé. Il l'est, et Becker n'eut pas à le regretter. Gabin, en pro tout de suite coopératif, lui donna de précieux conseils pour le choix des seconds rôles et il sut subtilement apaiser ses doutes en entrant avec sobriété dans la peau de ce Max qui, la cinquantaine venue, illustre de belle façon les propos de François Truffaut : « Le véritable sujet du *Grisbi* est-il le vieillissement de l'amitié ? » On sait l'immense succès populaire rencontré par le film, l'accueil de la critique, aussi. Dans *Radio Cinéma* (n° 219), Jean-Louis Tallenay écrit : « Quand un auteur sait s'élever à une peinture véritable de l'homme et de ses passions, de ses grandeurs et de ses bassesses, il mérite d'être écouté, que ses personnages soient empereurs ou bandits. En ce sens, le film de Becker mérite l'intérêt, et aussi parce qu'il est une magnifique réussite dans la construction, l'art de mener une scène, de diriger les acteurs, parce que *Touchez pas au grisbi* est une démonstration exceptionnelle de la maîtrise de Becker et des possibilités multiples du cinéma. »

Exit, François Périer

François Périer.

Marcel Carné préparait un film sur les milieux de la boxe, *L'Air de Paris*, sur un scénario de Jacques Sigurd et de lui-même. Au départ, une idée de Jacques Viot, qui s'accorde bien avec ce que souhaite Marcel Carné : « Ce qui m'intéressait — en plus de l'atmosphère particulière du milieu —, c'était d'évoquer l'existence courageuse des jeunes amateurs qui, ayant à peine achevé le travail souvent pénible de la journée, se précipitaient dans une salle d'entraînement pour "mettre les gants" et combattre de tout leur cœur, dans le seul espoir de monter un jour sur un ring. (...) Face au monde souvent frelaté de la boxe, je trouvais là comme une sorte d'idéal assez touchant ; même s'il s'y mêlait, c'est humain, le désir d'échanger une vie médiocre pour ce que l'on imaginait naïvement être un paradis doré » (*La Vie à belles dents*, *op. cit.*).

A nouveau Marcel Carné

Ce point de vue, Jacques Viot, qui a soigneusement écrit une première mouture du scénario, le partage avec Marcel Carné, mais il a fait du propriétaire d'une salle d'entraînement un personnage

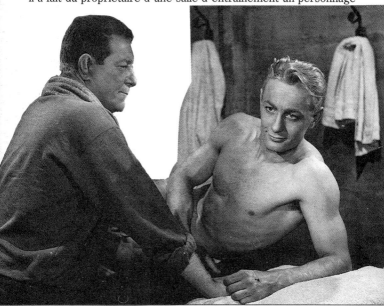

Aux côtés de Roland Lesaffre, dans *L'Air de Paris* (Marcel Carné, 1954).

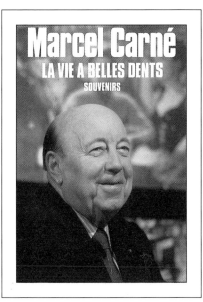

Marcel Carné
LA VIE A BELLES DENTS
SOUVENIRS

important et il ne cache pas qu'il ne voit qu'un comédien pour interpréter ce rôle avec suffisamment de réalisme pour être crédible : Jean Gabin. Et Jean Gabin, pressenti, ne cache pas non plus son intérêt pour ce personnage nouveau pour lui. Les producteurs, cependant, manquent d'enthousiasme. Même avec une pareille tête d'affiche, le succès du film n'est pas assuré. Un film sur la boxe ne fait pas un fauteuil ! disent-ils. Marcel Carné trouve l'oiseau rare, en la personne du magnat de la presse du cœur Cino del Duca, heureux producteur de *Touchez pas au grisbi*, auquel s'associe Jacques Dorfmann, et dès lors il n'a plus qu'à collaborer avec Jacques Viot afin de mettre au point le scénario définitif. Une succession de malentendus va pourtant jalonner le tournage du film. En plus du scénario, Jacques Dorfmann demande à Jacques Sigurd d'en écrire les dialogues.

« Sur *French Cancan*, ma condition de ''petit rôle'' me permettait à loisir de regarder vivre toute l'équipe. C'est ainsi que j'ai pu approcher Jean Gabin, ce mythe. On dit sur lui des choses fort peu aimables, et je pense que son comportement n'y est pas étranger. Mais j'ai découvert, au-delà de ces murmures vengeurs de surface, un acteur exemplaire. C'était ma première rencontre avec un monstre sacré, et j'ai réalisé que l'on se faisait une montagne de tous ces gens que l'on traite avec condescendance au nom du sempiternel respect du vedettariat (...). Je me suis efforcé de le comprendre et le dialogue fut immédiat. Ce qui m'a permis de savoir que devenir un monstre d'égoïsme et un monstre sacré sous la cloche d'ivoire tue le comédien, quel que soit son âge. Gabin, star et personnage public, avait moins de vanité que pas mal de sans-grade. Il en était à un point de sa carrière où, par lassitude, il se désertait lui-même, tout en gardant sa tête bien plantée sur les épaules. »

Michel Piccoli,
Dialogues égoïstes,
Éd. Olivier Orban,
1976.

83

Avec Lino Borini, plus tard Lino Ventura (*Touchez pas au grisbi*).

Sigurd en profite pour remanier l'histoire initiale et faire la part plus belle au jeune boxeur, distribué à Roland Lesaffre, au détriment du rôle de Gabin, qui en prend

Simone Signoret, auprès de Raf Vallone (*Thérèse Raquin*, Marcel Carné, 1953).

ombrage. Les têtes d'affiche restaient Jean Gabin et Arletty, mais Roland Lesaffre pouvait tirer la couverture à lui dans une histoire décalée.

Le tournage commence dans une atmosphère parfois pesante. Certes, Gabin est toujours Gabin, ponctuel, précis, professionnel jusqu'au bout des ongles, toujours prêt à accepter la moindre suggestion du metteur en scène, à recommencer les prises autant de fois qu'il le faut quand son partenaire n'est pas à la hauteur mais, en dehors du tournage, il marque ostensiblement ses distances envers une équipe dont il ne se sent pas, ne se veut pas solidaire. Les relations avec elle sont d'autant plus tendues que Roland Lesaffre, fort du succès qu'il vient d'obtenir à juste titre dans *Thérèse Raquin* de Marcel Carné (1953), ne se montre pas particulièrement coopératif avec « le Vieux ». Gabin en est à ce point ulcéré qu'en dehors du travail il ne lui adresse plus la parole. D'autant moins que Carné, qui a conscience d'avoir confié à Lesaffre un rôle bien lourd pour le presque débutant qu'il est, entend tout faire pour mettre son protégé en valeur. Les autres comédiens souffrent de cette mésentente, notamment Arletty, un peu perdue dans cette histoire hybride, ambiguë, qui n'obtient pas auprès du public le succès escompté. Une évidence : Gabin se croit remis à nouveau en question par un public qui continue pourtant à le chérir, mais vient moins nombreux voir ses films. D'où une amertume d'autant plus profonde que Gabin doit à Carné deux de ses films les plus importants : *Quai des brumes* et *Le jour se lève*. En fait, dans ce personnage nouveau, les cheveux blancs, la silhouette épaissie, les colères stéréotypées, à la recherche peut-être inconsciente de son second souffle, le public dérouté ne retrouve plus le Gabin première manière, celui qui le reflétait si bien.

Accrocs

Arthur Devère et Jean Gabin dans *Le jour se lève*.

« Je me demande ce qu'il faut que je fasse pour lui plaire ! » disait-il. C'est

85

d'autant plus curieux que *Touchez pas au grisbi* a obtenu quelques mois plus tôt un immense succès. Seulement, voilà, ça a été le succès d'une histoire, d'une équipe, d'un genre, pas de Gabin seul. À Venise, pourtant, Gabin obtient le prix d'interprétation masculine. Les mois passent et les propositions se font rares, du moins les propositions pour de vrais bons films. À nouveau, la perspective d'une traversée du désert,

Un seul échec

d'autant plus aiguë qu'on n'écrit plus de rôles pour lui et plus grave que, parfois, on ne fait appel à lui qu'après que d'autres comédiens ont été pressentis. Pour *Touchez pas au grisbi*, Becker, on l'a vu, n'avait d'abord pas voulu de lui ; dans *Le Port du désir* (1955), film franco-italien réalisé par Edmond T. Gréville, il n'a pas la vedette, et il ne doit d'être appelé par Jean Renoir pour *French Cancan* (1955) que parce que Charles Boyer a dit non. Il le constate, paraît sans amertume, mais ce sensible, cet écorché-vif en souffre, même s'il s'efforce de sourire en constatant qu'il n'a jamais touché cachet plus important pour un jour de tournage que pour le *Napoléon* (1955) de Sacha Guitry ou pour les dix jours du *Port du désir*.

Il a été, il se persuade qu'il est encore l'acteur le mieux payé du cinéma français ; il continue à représenter une valeur sûre et pourtant, à la fin de chaque film, il se demande, inquiet, si de nouvelles propositions vont venir.

Andrée Debar et Jean Gabin (*Le Port du désir*, Edmond T. Gréville, 1955).

Jean Gabin (Danglard), Maria Felix (Lola) et les danseuses du Moulin-Rouge (*French Cancan*, Jean Renoir, 1955).

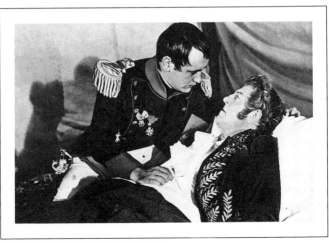

Napoléon (Raymond Pellegrin) et Lannes (Jean Gabin) (*Napoléon*, Sacha Guitry, 1955).

Deux dates importantes dans la filmographie de Jean Gabin ; dans celle aussi de Claude Autant-Lara : 1956, *La Traversée de Paris* ; 1958, *En cas de malheur*, deux films hors normes, qu'on pourrait appeler aujourd'hui des films-culte. De *Ciboulette* controversée, de ces trois films signés Maurice Lehmann auxquels il collabore plus qu'étroitement,

Avec Autant-Lara

jusqu'à cette inactivité à laquelle il est condamné depuis plus de dix ans, la carrière de Claude Autant-Lara est à étudier de plus près qu'on ne le fait généralement. Antimilitariste, anticlérical, anarchiste — mais on ne sait si c'est de droite ou de gauche —, anti-tout en quelque sorte, il signe dans les années 40 des films aux apparences sécurisantes : *Le Mariage de Chiffon* (1942), *Lettres d'amour* (1942), mais où la bourgeoisie, le conformisme, l'hypocrisie sont soulignés d'un habile mais décisif trait au vitriol. *Douce* (1943) en est la plus convaincante illustration : s'y épanouissent dans une interprétation exemplaire et définitive une Marguerite Moreno — sa visite à « ses » pauvres est un morceau d'anthologie — et une Madeleine Robinson perverse et vulnérable, en pleine possession de son art. Et une Odette Joyeux ambiguë inoubliable.

Après *Le Diable au corps* (1947), devenu depuis un classique mais qui, à sa sortie, lui vaut bien des ennuis de la part des ligues de moralité ou des associations d'anciens combattants, après *L'Auberge rouge* (1951) férocement anticléricale, après *Le Rouge*

Claude Autant-Lara,
odieux parce que mal-aimé.

et le Noir (1954), le cinéaste, fustigé par la Nouvelle Vague, qui lui reproche à tort de privilégier le scénario et les scénaristes au détriment d'une forme selon eux scolaire, voire académique, perd peu à peu du terrain et réalise alors des films qu'on ne cessera de lui contester. Et puis, voilà que l'opportunité lui est donnée de redevenir l'Autant-Lara insolent, d'exercer sa verve sarcastique : mettre en scène *La Traversée de Paris*. Marcel Aymé,

Bourvil, Louis de Funès, Jean Gabin
(*La Traversée de Paris*, Claude Autant-Lara, 1956).

auteur de la nouvelle, trouve Gabin trop vieux et ne veut à aucun prix entendre parler de Bourvil, qu'il tient pour un comique de second ordre. Claude Autant-Lara se bat, ruse avec les producteurs frileux, finit au prix d'incessantes concessions par imposer son point de vue. Obligé de renoncer à la couleur jugée trop chère, il ne cède du terrain que pied à pied et sauvegarde l'essentiel. Quand le film sort, c'est le triomphe avec en corollaire, une fois de plus, les habituels malentendus. Une certaine presse ne lui pardonne pas d'évoquer « les petits côtés de la France occupée, à rebours de l'imagerie héroïque qui sera de mise dans les années suivantes », comme l'écrit Jean-Pierre Jeancolas dans le *Dictionnaire du Cinéma* (*op. cit.*).

Claude Autant-Lara a eu bien des accrochages avec Jean Gabin. Ils ne se comprennent pas, Gabin s'enfermant dans un silence lourd de menaces, Autant-Lara fulminant contre cet acteur qui entend n'en faire qu'à sa tête. La façon de jouer de Gabin l'agace, son besoin de se concentrer avant chaque scène aussi. Gabin, qui doit s'intérioriser, que le moindre bruit sur le plateau au moment des prises de vues, distrait, voit d'un mauvais œil le metteur en scène se placer à côté de la caméra, mimer tous ses gestes, murmurer toutes ses répliques. Comme s'il était un robot à qui l'on transmettrait des consignes ! Deux « caractères » ne peuvent que se heurter, ce qui se produit souvent.

Le Paris nocturne de l'Occupation (*La Traversée de Paris*).

Au printemps de 1973, Claude Autant-Lara confie aux *Cahiers de la Cinémathèque* : « Gabin, c'est un acteur moyen, au fond. Il y a d'un côté les comédiens, les vrais, puis les acteurs. Gabin n'est même pas un acteur, c'est une personnalité. C'est très différent, mais c'est, aussi, considérable. Dans *La Traversée de Paris*, où il incarne une personnalité de la peinture, il est parfaitement à son aise. C'est, je crois bien, un de ses rôles marquants. Mais si vous ne lui faites pas un costume sur mesure, il n'y a personne. Il ne sait pas se ''déplacer'' comme on dit dans notre métier. Carette, comédien, savait se ''déplacer'', lui, c'est-à-dire que d'un rôle à l'autre, vous ne le reconnaissiez pas. Il devenait un autre personnage. Pas Gabin : il est toujours le même. »

Petites phrases assassines

La comédie tourne au drame (*La Traversée de Paris*).

Le succès du film atténue quelque peu les mutuelles amertumes et, deux ans plus tard, Gabin accepte d'être à nouveau dirigé par Claude Autant-Lara. Peut-être parce qu'il a conscience que *La Traversée de Paris* a marqué un tournant dans sa carrière, peut-être parce que Autant-Lara lui propose un solide roman de Simenon, auteur qu'il apprécie beaucoup, peut-être parce qu'il sait qu'Edwige Feuillère, pour laquelle il a un grand respect et une grande amitié, va faire partie de la distribution, peut-être aussi parce que Bardot sera pour la première fois sa partenaire. Bardot, et toute sa mythologie de pacotille, Bardot l'inconnue, surtout. Pour un acteur, c'est très excitant d'avoir à se colleter avec un mythe (voir J'ai lu Cinéma n° 21). Avant le tournage, il avait sur elle une opinion toute faite, que soulignaient des mots assez durs, à l'emporte-pièce, comme à l'accoutumée. Il découvre une actrice bien différente, qu'il impressionne, qu'il effraie un peu, ce qui n'est pas pour lui déplaire. Partout, il le sait, son « caractère de cochon » le précède.

Bardot, de son côté, aurait dit de lui, c'est du moins ce que Jean-Michel Betti rapporte dans son livre *Salut Gabin !* (*op. cit.*) : « Vous dites Gabin ? Est-ce qu'il s'agit de cet acteur qui jouait au temps du muet ? » À la spontanéité, à la quasi-improvisation du jeu de Brigitte, il oppose un métier, une rigueur qui finissent par fasciner la vedette désinvolte mais définitive qu'elle est déjà.

Brigitte

Aussi, ne comprend-elle pas qu'il s'entête à lui donner la réplique dans les scènes en contre-champ où il n'apparaît pas. Sans pour autant abandonner son attitude bourrue, il se laisse apprivoiser. Autant-Lara veille à ce que l'équilibre entre les rôles soit bien respecté et, en grand bourgeois « fascinant et honni », Gabin donne une nouvelle fois un aperçu de la diversité de ses dons, démentant en quelque sorte le jugement a posteriori d'Autant-Lara.

Ils ne feront pas un troisième film ensemble. Autant-Lara ne se résignera pas à cette lente descente aux enfers que la profession et les instances cinématographiques officielles lui imposent. Ses

Brigitte Bardot.

projets échouent les uns après les autres ; une tristounette *Gloria* (1977), qu'il réalise pour Marcel Dassault avec l'espoir — la promesse ? — que le magnat de l'aviation financera ensuite le film qui lui tient à cœur, sera accueillie par une presse déchaînée, pis, condescendante, la télévision l'abandonne avec une hypocrisie rare après lui avoir commandé une *Chartreuse de Parme*, adaptation à laquelle il va travailler deux ans durant, inutilement.

Jusqu'à faire de lui le « mauvais coucheur » type, pour aboutir sans doute malgré lui à l'homme politique qui ne connaît rien à la politique, mais qui a trouvé une oreille complaisante et une caisse de résonance pour répercuter sa hargne et, pêle-mêle, sa haine des Américains, du Coca-Cola, de la Nouvelle Vague, des producteurs incompétents, des successifs ministres de la Culture, et qui sombrera, hélas ! dans un antisémitisme qui le fera clouer au pilori, avec délectation ou consternation, par les médias déchaînés. Le scoop, l'événement à tout prix. Et un écorché vif qui crie parce qu'il ne supporte plus l'injustice dont il se croit l'objet.

Aigreur et amertumes

Il reste qu'avec *La Traversée de Paris* et *En cas de malheur*, Claude Autant-Lara a signé deux films importants et fascinants à plus d'un titre, à marquer l'un et l'autre d'une pierre blanche dans la filmographie désormais en dents de scie de Jean Gabin.

Le tournage de *La Traversée de Paris* :
une harmonie et une entente difficiles.

Jusque-là, Jean Gabin a été une tête d'affiche à part entière, sauf à partager la vedette avec une star féminine, comme Bardot ou Feuillère. Lucide, son œil bleu sur le box-office lui a plusieurs fois fait observer que le nombre des spectateurs augmente considérablement dès lors qu'il est associé au générique à un grand acteur masculin. *La Traversée de Paris*, qui n'était pas d'emblée un film si facile, au succès assuré d'avance, a triplé le nombre des spectateurs qui s'étaient déplacés pour *Le Sang à la tête* (1956) ou *Voici le temps des assassins* (1956). De plus, sa rencontre avec Bourvil dans le film de Claude Autant-Lara n'a pas donné lieu au moindre conflit, au moindre problème de préséance. Aussi, quand Henri Verneuil lui propose de partager la vedette d'*Un singe en hiver* (1962), tiré par François Boyer du roman d'Antoine Blondin, et dialogué par Michel Audiard, avec Jean-Paul Belmondo, Gabin dit oui. En dépit d'une critique qui, dans l'ensemble, ne sera pas tendre, Gabin n'a pas regretté d'avoir tourné ce film, qu'il classe même premier dans son palmarès personnel (*France-Soir*, 6 septembre 1968).

La rencontre avec Belmondo

**Face à Monique Mélinand
(*Le Sang à la tête*,
Gilles Grangier, 1956).**

« Festival de gros malins qui ne le sont même pas assez pour exploiter convenablement ce qui constituait à l'origine un assez bon sujet », peut-on lire dans *Les Cahiers du Cinéma* en juillet 1962. La tendresse de Gabin pour ce film, il faut peut-être la chercher dans la scène d'ivresse entre lui et Belmondo, le clou du film sans doute, mais qui a partagé les critiques, les uns la trouvant époustouflante, les autres grotesque, vulgaire, outrée. En fait, il

Le laisser-faire de Verneuil

semblerait que, plutôt que de les diriger, Henri Verneuil a préféré les laisser aller à leurs penchants naturels, d'où un certain cabotinage, aucun des deux ne voulant laisser la vedette à l'autre. Duo ou duel ? Les deux sans doute.

François Guérif et Stéphane Levy-Klein écrivent : « Nous n'aimons pas ce film et tout semble nous donner tort : les déclarations des deux acteurs principaux, le ''talent'' reconnu du réalisateur, l'adhésion du public. Pour nous, les acteurs ne sont pas à incriminer. Belmondo et Gabin sont deux professionnels et leur rencontre eût pu être plus passionnante si Verneuil, sortant d'un purgatoire non mérité, n'avait décidé de conquérir son rang au box-office à force de concessions à la vulgarité. Son dialoguiste, alors en vogue, massacra une œuvre qui possédait au départ assez de points forts pour faire de la rencontre Gabin-Belmondo un affrontement inoubliable » (*Jean-Paul Belmondo*, Éditions Pac, 1976).

La célèbre cuite monumentale d'*Un singe en hiver* (Henri Verneuil, 1962) avec Jean-Paul Belmondo.

On le sait, pareille occasion ne se représentera plus, Gabin préférant faire équipe, trois fois de suite, avec un Alain Delon plus proche de lui, avec qui il se sent sans doute en plus parfaite harmonie. *Mélodie en sous-sol* (1963), *Le Clan des Siciliens* (1969), réalisés par le même Verneuil, et *Deux Hommes dans la ville* (1973), signé José Giovanni, ont beaucoup moins vieilli et, surtout pour le dernier, gardent intact leur impact émotionnel.

Alain Delon.

PRÉSÉANCE

« J'ai rencontré Gabin pour la première fois chez le producteur Jacques Bar. J'étais très intimidé. Il y avait là Verneuil et Audiard. Gabin était assis ; en me voyant, il s'est levé, ce qu'il n'était pas du tout obligé de faire. Je lui ai dit : "Bonjour, monsieur." Il m'a répondu : "Bonjour, môme..." Il m'avait tout de suite adopté. À la fin de sa vie, Gabin touchait sans doute deux fois moins que Ventura ou moi mais, si on faisait un film ensemble, il était hors de question qu'il ne soit pas en tête d'affiche. »

Alain Delon
Cinématographe,
septembre-octobre
1984.

**Le Clan des Siciliens
(Henri Verneuil, 1969).**

« Jean Gabin, a dit Alain Delon, c'est notre maître à tous. » Dans le métier, Alain Delon a quelques admirations, fidèles et définitives. Jean Gabin fait partie de ces admirations-là. « Dans une certaine mesure, écrit Henri Rode, on peut rapprocher Delon de Gabin, en dehors même de leur sens du professionnalisme. Tous

La rencontre
avec Alain Delon

deux issus de milieux modestes durent tôt ''devenir quelqu'un'' ; cela impose certaines lois, une sorte de déontologie qui finit par marquer le profil du personnage. Il y a dans une certaine mesure en Delon comme en Gabin du ''grand bourgeois'', ce qui explique qu'une part de l'intelligentsia les boude. (...) Mais qu'on ne s'y trompe pas : chez Gabin, la façade bourgeoise n'empêchait pas qu'il fût une sorte d'Alceste, jugeant ce monde (dont il sut profiter) de haut. Il y avait chez lui un grand sceptique, un négateur, un contempteur ; mais qui pouvaient être corrigés par une drôlerie, une narquoiserie de titi. Delon est capable aussi de tout cela. Les mêmes sources produisent les mêmes caractères : Delon et Gabin n'eurent pas une enfance de tout repos, et cela s'est retrouvé chez l'un comme chez l'autre » (*Alain Delon*, Éditions Pac, 1982).

Deux Hommes dans la ville, (José Giovanni, 1973) :
le deuxième homme est Alain Delon.

Delon, Gabin et Ventura (*Le Clan des Siciliens*).

Nous sommes en 1963. Un an plus tôt, Gabin a eu Belmondo pour partenaire et cette rencontre constitue pour Delon un défi d'autant plus excitant qu'*Un singe en hiver* a connu un succès mitigé. Un solide roman de la Série Noire, *Mélodie en sous-sol*, de John Trinian, Albert Simonin à l'adaptation, Michel Audiard aux dialogues, Henri Verneuil à la mise en scène, tous les atouts sont du bon côté. Gabin n'a pas peur d'un possible affrontement ; il connaît le professionnalisme du « môme » qui sait, d'emblée, comment il faut se comporter avec ce fauve dont le regard d'acier enre-

gistre tout. Et les prises de vues succèdent sans accroc aux prises de vues. Un round d'observation, puis une rapide complicité avec, en bout de course, un immense succès populaire. Résultat de cette estime, de ce respect mutuel total : trois films qui compteront dans la carrière de l'un et de l'autre, peut-être parce qu'ils leur ont permis, en se mesurant plus qu'en s'affrontant, en se complétant, aussi, de donner toute leur mesure. Et, parfois, de se dépasser.

Du sompteux coup magnifiquement préparé par Charles (Jean Gabin) et exécuté grâce à Francis (Alain Delon) — *Mélodie en sous-sol* — au réquisitoire d'une redoutable efficacité contre la peine de mort, mis en scène avec tact par José

Harmonie

Giovanni — *Deux Hommes dans la ville* —, en passant par ce *Clan des Siciliens*, tiré du roman d'Auguste Le Breton et qui demeure l'un des plus grands succès d'Henri Verneuil, les paris sont tenus. Chaque fois, une histoire solidement charpentée, des rôles spectaculaires et pourtant tout en nuances, des comédiens sobres et efficaces même dans les rôles secondaires, des films qui ne sont pas essentiellement des divertissements, et des salles pleines, longtemps : il n'y a pas de miracles. Avec de tels atouts, le mythe Gabin comme le mythe Delon ne pouvaient être mieux servis. Exemplaire, aussi, leur amitié. On se souvient qu'à la mort de Gabin, Delon fut toujours présent, secondant efficacement la famille dans les formalités des obsèques ; il sera là jusqu'à la dernière seconde, quand les cendres de celui qu'il appelait « le Patron » seront immergées. En fait, il est l'héritier spirituel de l'acteur Gabin, de sa conception de l'art cinématographique, de son professionnalisme, de son mépris de tout ce qui n'est pas essentiel. Ce n'est pas pour rien que Gabin a lancé à Henri Rode, qui lui demandait qui il pensait digne de sa succession : « Et Delon ? »

Il a cité aussi Lino Ventura, mais Ventura devait quitter la scène beaucoup trop tôt. ■

La Horse (Pierre Granier-Deferre, 1970).

LES REGRETS

« N e me demandez pas quel film j'ai préféré tourner. C'est le genre de questions que l'on me pose depuis quarante ans. J'en ai rien à faire. Un jour un truand, un jour un savant. Si je n'y étais pas obligé, dites-vous bien que je ne ferais plus de cinéma, mais j'ai mes gosses à élever, mes impôts à payer. Avant la guerre, c'était plus facile. Et d'une, j'étais plus jeune. Et de deux, je n'avais pas de réputation à soutenir. Avant la guerre, j'étais un innocent, je ne faisais pas de films pour le pognon. Seulement parce qu'ils étaient bons. Et maintenant, quoi, maintenant ? » On le voit, il est lucide, Gabin, quand il se confie le 23 novembre 1968 à Monique Pantel, pour France-Soir. Pourtant, il sait quelle place il occupe dans le cinéma français ; il est conscient d'avoir tourné quelques-uns des chefs-d'œuvre d'un art par essence fugitif, tributaire plus que tous des évolutions de la technique, mais d'un art majeur ; il sait aussi, parce qu'il n'a jamais été dupe de ses contradictions et qu'il admet ses erreurs, que les déchets sont nombreux dans sa filmographie. Mais un film, c'est seulement quand on ne peut plus rien y changer que l'on découvre qu'il est bon ou non, que l'on est satisfait ou non

102

de l'avoir fait. Et qu'on lui cite un seul comédien, fût-il grand, qui ne se soit jamais trompé dans le choix de ses scénarii, voire, quand c'est possible, de ses metteurs en scène ! Les années Gabin sont sur le point de s'achever, mais qui s'en douterait, à part les siens qui le voient parfois fatigué, découragé, replié de plus en plus sur lui-même ? Il parle de se retirer dans ses terres, mais personne ne croit vraiment à cette retraite qu'il évoque depuis si longtemps. Est-ce à cause de cette menace de retraite que les propositions se font moins nombreuses ? Le métier qu'il a si scrupuleusement servi lui doit une revanche et la lui donne. Ses derniers films verront une remontée spectaculaire des entrées et les quatre derniers marqueront une nouvelle et heureuse étape dans sa carrière, comme si le cinéma et ses admirateurs à nouveau fidèles lui devaient bien ça. À nouveau la qualité, sauf pour L'Année sainte, mais qui aurait pu dire, au moment où il signait le contrat de cette triste farce, que ce serait son dernier film ? ■

L'Année sainte
(Jean Girault, 1976).

■ Si Gabin garde une relative emprise sur le public, le divorce s'accentue avec la presse en général et la critique en particulier. Elle s'irrite des brimades dont elle se croit l'objet de la part de celui qui se montre de plus en plus bougon, de plus en plus irritable, en un mot qui refuse désormais de jouer le jeu. Gabin n'est pas fait pour les publications à sensation, pas davantage pour des confidences qui n'ont pas de sens et, selon lui, n'intéressent personne, lui dont la vie privée est aussi calme que ses prairies normandes. À la sortie du *Gentleman d'Epsom* (1962), c'est la volée de bois vert comme il a, hélas ! coutume d'en recevoir depuis quelque temps à chacun de ses films ou presque mais, cette fois, les flèches sont un peu plus acérées. En tête des contestataires, Pierre Marcabru écrit dans *Arts* le 10 octobre 1962 : « *Le Gentleman d'Epsom*, c'est la vieille cavalerie du cinéma français : Grangier, Audiard, Gabin. Un acteur et ses deux esclaves. Un dialogue sur mesure, une mise en scène officieuse. Le cabotin maître de ses cartes. »

Des volées de bois vert

Aux côtés de Madeleine Robinson
(*Le Gentleman d'Epsom*, **Gilles Grangier, 1962**).

La sanction tombe. *Le Gentleman d'Epsom* : 174 937 entrées sur Paris-banlieue, le plus mauvais score enregistré depuis longtemps. *Un singe en hiver* en avait totalisé 80 000 de plus. *Mélodie en sous-sol* en capitalisera 507 666. C'est-à-dire, et Gabin surtout s'en rend compte non sans amertume, qu'il lui faut désormais partager la vedette avec un autre grand du cinéma s'il veut retrouver, sinon reconquérir, son public, s'attacher surtout un public nouveau. Une remise en cause objective aurait peut-être limité les dégâts ; Gabin prend alors souvent une direction inverse : la frilosité, ses fidèles mitonnant des recettes réclamées selon eux par les spectateurs. On peut s'étonner d'un pareil aveuglement ou, plus sûrement, d'un pareil manque de perspective. Comment se tromper à ce point ? Il faut remonter à ses débuts pour tenter de trouver un commencement d'explication à cet entêtement dans l'erreur.

L'éreintement

Jean Gabin est entré dans un métier peu fait pour lui sans enthousiasme, poussé par un père obstiné. Pour lui faire plaisir, pour l'épater, pour l'honorer peut-être. À ses débuts, il ne pensait pas faire une carrière pareille.

Pour reconquérir le public, Jean Gabin joue avec Jean-Paul Belmondo dans *Un singe en hiver* (Henri Verneuil, 1962).

Devenu très vite une vedette de cinéma à part entière, et après deux ou trois années de tâtonnements, les quelques grands films qui ont marqué sa carrière et, pourquoi ne pas le dire, l'histoire du cinéma français et du cinéma tout court, c'est en moins d'un lustre qu'il

Années 30, années fastes

va les tourner, en gros de 1934 à 1939. Pas de faux pas, si l'on excepte *Le Messager* et *Le Récif de corail*, pas déshonorants pour autant. En fait, il se serait arrêté de tourner à ce moment-là, ces films seuls : *La Bandera, La Belle Équipe, Pépé le Moko, La Grande Illusion, Quai des brumes, Le jour se lève* auraient suffi à alimenter le mythe Gabin, à le rendre définitif. Avec le recul, on se rend mieux compte combien la coupure de la guerre a en quelque sorte stoppé,

Chef-d'œuvre de l'avant-guerre :
***La Bandera* (Julien Duvivier, 1935).**

106

GABIN ET FRESNAY SE RETROUVENT

« Avec *Les Vieux de la vieille*, j'ai eu l'occasion de mieux voir la méthode de Gabin et c'est une excellente méthode, une méthode d'organisation cinématographique. Nous avons déjeuné chaque jour ensemble, ce qui est une bonne façon de connaître un camarade. J'ai eu beaucoup de plaisir à voir Gabin s'installer de façon confiante, et j'ai trouvé très savoureux son tempérament et son sens du comique. J'ai surtout eu, tous les jours, l'occasion de voir qu'il est ce qu'on peut appeler un vrai "homme de cinéma", s'occupant de tout, et s'en occupant avec compétence, ne négligeant absolument rien pour la qualité du film, ayant sur le plateau, en dehors même de sa réputation de comédien, ayant avec les techniciens un échange de propos toujours compétents, et un sens pratique de la vie, beaucoup d'humour, un sens du dialogue, sachant très bien quand une

Les Vieux de la vieille.

réplique n'est pas ajustée, et un sens de l'effet puissant. Je l'avais très peu vu pendant *La Grande Illusion*. Je n'avais guère participé aux repas, aux soirées en commun. Gabin est un cas très intéressant à voir fonctionner. C'est un rouage essentiel de la naissance d'un film, extrêmement convaincant, d'une justesse de vues d'une justesse d'esprit considérables. Je ne parle pas du tempérament, qui n'a rien à voir là-dedans ! »

Pierre Fresnay,
Pierre Fresnay,
par Fresnay et Possot,
Éditions
de la Table Ronde,
1975.

puis faussé une carrière jusque-là sans faille. Plus tard, la Nouvelle Vague lui sera également préjudiciable, elle qui a si souvent coupé les racines avec les branches. Le public est versatile, routinier aussi et, mis à part l'escale hollywoodienne imposée par la guerre et, dit-on,

Pierre Fresnay, Jean Gabin, Noël-Noël (*Les Vieux de la vieille*, Gilles Grangier, 1960).

par une Marlène qui rêvait pour lui d'une carrière à la Gary Cooper, le Gabin d'après guerre, le Gabin de 1946 n'a plus tellement de points communs avec celui dont le public a gardé le souvenir. Le beau garçon séduisant et irrésistible auquel il était possible de s'identifier, auquel on rêvait de s'identifier, a cédé la place à un acteur que les cinéphiles aussi bien que les midinettes ne savent plus où situer. Le cinéma a trop souvent tendance à figer une bonne fois pour toutes les comédiens dans une image définitive. C'est le Gabin des chefs-d'œuvre que l'on veut revoir, celui que l'on garde dans sa tête et dans son cœur.

Enfant, il se voyait bien foulant les prairies grasses, au milieu d'un élevage, des chevaux gambadant autour de lui. Quand, son métier ne le passionnant plus autant, il va même jusqu'à envisager l'arrêt de son activité de comédien — il y a tant d'exemples autour de lui de carrières interrompues —, il repense à son vieux désir de posséder un élevage sur de loyales et bonnes terres. Son ami et biographe André Brunelin

La Pichonnière

donne là-dessus des renseignements précis : « Possédant déjà une ferme de 70 hectares à Digny, en Eure-et-Loir, qu'il exploitait directement, il jeta son dévolu sur une région située entre Moulins-la-Marche et L'Aigle, dans l'Orne. Il acheta une ferme de 30 hectares à Bonmoulins près de Moulins-la-Marche, qu'il loua à des fermiers. En 1952, il se porta acquéreur d'un domaine de 42 hectares d'herbages, La Pichonnière, situé à cheval sur les communes de Bonnefoi et des Aspres. La Pichonnière possédait une vieille demeure de style mais en très mauvais état et donc guère exploitable. Dans la foulée, il achetait également à Bonnefoi 27 hectares avec une petite maison qu'il aménagea et dans laquelle il vint souvent habiter, notamment quand il ne tournait pas » (*Gabin, op. cit.*).

Décoré d'une « Victoire » du cinéma français le 11 juin 1952.

Pris d'une espèce de fringale, Gabin achète, achète, et lui qui se croyait doué en affaires se fait souvent rouler par des paysans plus madrés que lui. Bientôt, à côté de La Pichonnière, va s'élever La Moncorgerie. En tout, un vaste domaine où il pourrait se retirer si le besoin s'en faisait sentir, où tous ses enfants pourraient vivre s'ils en avaient envie. Dès lors une obsession : chaque nouveau film devrait permettre à La Moncorgerie de s'accroître et de s'embellir.

C'est au moment où son rêve le plus merveilleux prend une forme définitive que la belle machine s'enraye. L'absurdité, mêlée à des revendications plus ou moins fondées, mais auxquelles lui, Gabin, ne peut apporter de solution. Et sa propriété en point de mire, puisque les médias ne manquent pas de s'en mêler.

C'était, dit-on, Clemenceau :
Le Président **(Henri Verneuil, 1960).**

L'aube du 28 juillet 1962. Plusieurs centaines d'agriculteurs encerclent La Moncorgerie avec des camions, des tracteurs et des voitures ; les dirigeants syndicaux qui les accompagnent exigent d'être reçus immédiatement par le maître des lieux. Les jeunes agriculteurs sont en colère. Déjà. Ils supportent de plus en plus mal de voir leurs terres achetées et regroupées en vastes exploitations par des non-agriculteurs.

Le conflit

Certes, et ils le savent, Jean Gabin n'est pas l'exemple le mieux choisi du « cumulard », mais il est le seul dont le nom attirera immanquablement l'attention de la presse et de la télévision. Une loi anticumul est en discussion à l'Assemblée nationale. C'est donc le moment d'agir. D'autant que l'on s'est assuré auparavant de la présence effective de l'acteur dans sa propriété. Et c'est l'ultimatum à un Gabin ahuri, qu'on a tiré de son lit. Il est calme, mâchoire crispée, mais de ce calme qui précède parfois la tempête.

Avec André Weber
(*La Horse*, Pierre
Granier-Deferre,
1970).

Ces treize « responsables » qui l'entourent, il ne les a jamais vus. Il apprendra un peu plus tard qu'ils ne sont pas de la région. Ils lui font bien vite comprendre que 150 hectares, c'est trop, qu'ils entendent que les fermes de Merlerault et de Digny ne soient plus exploitées par lui, mais louées à de jeunes agriculteurs. « Impossible, répond Gabin. Elles me sont indispensables pour le reste de mon exploitation. L'avoine pour mes chevaux, ce sont ces fermes-là qui me la procurent ! »

Un dialogue de sourds s'installe, Gabin d'un côté, sûr de son bon droit, les délégués syndicaux de l'autre, d'autant plus déterminés que Gabin les impressionne, campent sur leurs positions. La discussion s'éternise et déjà, à l'extérieur, les déprédations commencent, parce que les 700 contestataires s'impatientent. Ils ont pénétré dans La Moncorgerie, commencé à abîmer pour abîmer, à détruire pour détruire. Les responsables se rendent compte qu'ils ne seront bientôt plus maîtres de la situation et essaient de faire pression sur lui pour qu'il cède vite sur les deux fermes. C'est plus une question de forme qu'une nécessité absolue. Le temps passe et ils comprennent que rien de ce qu'ils avaient prévu ne s'est déroulé comme ils le souhaitaient : une spectaculaire opération éclair, un Gabin qui panique devant plusieurs centaines de gars vociférant et un papier à signer qu'on lui tend et que, vaincu, il signe. C'est le contraire qui se produit. Ils ont en face d'eux un homme de plus en plus déterminé et qui dit non.

Gabin sait qu'il ne doit pas céder et, dès lors, nulle force au monde ne saurait l'y contraindre. Toujours sûr de son bon droit, de l'absurdité des revendications, il s'est bloqué une fois pour toutes sur ce non qu'il ne cesse de répéter. Il n'a même plus peur de cette foule qui s'époumone et qui peut tout casser. Une menace sème le trouble chez les contestataires : « Dans ce cas, je vais tout vendre. Et si je n'ai pas vendu d'ici à la fin de l'année, eh bien, je louerai les fermes que vous dites ! Mais je refuse de signer quoi que ce soit ! » Il entend déjà les cris de victoire que les paysans ne vont pas tarder à pousser. Et il les entend effectivement, bientôt couverts par les pétarades des moteurs. C'est un Gabin blessé qui fait cependant face. Rejeté par tout un pan de la profession, notamment par la critique qui lui reproche ses choix de scénarii, de metteurs en scène — il a régné sur une profession, sinon un art, où il ne s'est jamais senti tout à fait à l'aise —, rejeté par cette classe paysanne à laquelle, avec une bonne foi naïve qui est l'un des traits de son caractère, il a cru s'être intégré, que lui reste-t-il à faire ?

La déchirure

D'autant que ce qu'il redoute le plus se produit. Les médias s'emparent de l'affaire : gros titres des journaux, reportages à la télévision, manchettes de la presse à sensation, partout ses démêlés avec ses voisins sont étalés, commentés, presque toujours déformés avec malveillance. Les sceptiques ricanent : qu'avait-il besoin d'aller acheter toutes ces terres ? Les terres aux paysans, les écrans aux comédiens et tout sera pour le mieux dans le meilleur des mondes !

La Horse.

Gabin à la ville, cuvée 57.

Quelque chose vient de se casser dans le cœur et dans la tête, sinon dans la vie, de Jean Gabin. Jamais il n'a été si peu, si mal compris. Il est amer. Des « cumulards » plus « cumulards » que lui, il y en a d'autres dans le coin, auxquels personne ne s'est attaqué. Ceux-là ricanent, se gardent bien de prendre sa défense. Alors, compte tenu des dégâts occasionnés dans sa propriété, des menaces qu'il a subies, du préjudice moral, aussi, Gabin rentre à Paris et, par l'intermédiaire de Mᵉ Floriot, porte plainte. Violation de domicile, tentative d'extorsion de signature, les motifs ne manquent pas. Il est naïf, il croit encore que la justice va donner raison au citoyen respectueux des lois qu'est le maître de La Moncorgerie. Mais l'affaire s'engage mal. L'administration traîne les pieds. Sur les 700 paysans qui ont envahi et parfois saccagé son domaine, une trentaine seulement seront identifiés. Dans les hautes sphères, c'est également le silence. Il encaisse, ronge son frein, n'est pas loin de se croire persécuté et abandonné de tous, même si de très nombreuses lettres d'inconnus le réconfortent.

Le procès a lieu le 21 avril 1964. Les mois ont passé. S'il n'a pas pardonné, Gabin a fini par admettre qu'il n'était pas personnellement visé, que La Moncorgerie et lui ont servi de spectaculaire prétexte à des revendications qui, depuis, n'ont semble-t-il toujours pas abouti. À l'audience, il crée la surprise en annonçant qu'il retire sa plainte, ce

Le procès

qui n'empêche pas les prévenus d'être condamnés à de faibles amendes et le principal responsable à quinze jours de prison avec sursis. L'honneur est sauf, l'amour-propre aussi, mais rien ne sera plus jamais comme avant. Quelques mois avant sa mort, il mettra son domaine en vente.

En 1965, c'est le miracle, mais qui demeurera inexpliqué parce que sans lendemain : sur Paris-banlieue, 965 638 entrées pour *Le Tonnerre de Dieu*, tiré par Denys de La Patellière et Pascal Jardin du roman de Bernard Clavel. Pas de covedette et un triomphe d'autant plus éclatant que, l'année précédente, *L'Âge ingrat*, avec

Le triomphe
de « Tonnerre
de Dieu »

pourtant Fernandel pour partenaire, n'a rassemblé que 238 266 spectateurs. 25 semaines d'exclusivité pour le premier, seulement 9 pour le second. Les mauvaises recettes ne font plus recette. Gabin, lucide, doit se remémorer la boutade qu'il a lancée un jour à un journaliste : « Pour faire un bon film, il faut trois conditions : un, un bon scénario, deux, un bon scénario, trois, un bon scénario. » Il s'est senti très à l'aise dans le roman solide et fortement structuré de Bernard Clavel.

L'Âge ingrat, avec Fernandel (Gilles Grangier, 1964).

Touchez pas au grisbi
(Jacques Becker, 1954).
Avec Paul Frankeur, René Dary
(photo ci-dessus)
et Jeanne Moreau (photo ci-dessous).

Un autre bon scénario, un roman d'Auguste Le Breton, va renouveler le miracle quatre ans plus tard : *Le Clan des Siciliens*. 829 580 entrées en 17 semaines d'exclusivité. Il faut dire que Gabin est entouré de deux partenaires de poids : Alain Delon et Lino Ventura. Mais la tête d'affiche, c'est lui. Et le souvenir plane d'un autre grand succès, notamment de presse, qui l'avait fait sortir des années grises, *Touchez pas au grisbi,* de Jacques Becker.

LA RETRAITE

« Gabin pouvait se montrer irritant pour des tas de petites choses, mais son sens professionnel ne pouvait pas être mis en défaut ! Au point que, ponctuel, il entrait dans un studio comme on va pointer à l'usine. Il était fin prêt, le texte sur le bout du pouce. À force de se forger un personnage de fonctionnaire, il avait fini par y croire, et, dès 64 ans, il ne parlait plus que de ''la retraite'' qui approchait. Quand on lui proposait un rôle, on n'entendait plus : ''Ça vaut pas un coup de cidre !'' mais : ''L'année prochaine ? Pas question... C'est la retraite ! — Mais pourquoi diable la retraite ? — Ben quoi ? À 65 ans c'est l'âge de la retraite !'' Naturellement, il n'a pas pris sa retraite. Et quand, méchamment, je lui ai dit : ''Et cette retraite ?''
Il m'a fait, comme résigné : ''Qu'est c'qui nourrira les mômes ?''

Alain Poiré,
200 Films au soleil,
Éditions Ramsay,
1988.

Quand il était en veine de confidences et qu'il tolérait que l'on émît certaines réserves sur quelques-uns de ses films, Gabin se laissait aller à avouer qu'il tournait parfois pour satisfaire son percepteur — sa hantise — ou payer les voyages du général de Gaulle à l'étranger ! Dans cette catégorie de films alimentaires, il plaçait

La rencontre
avec
Louis de Funès

Le Tatoué, réalisé par Denys de La Patellière en 1968. Gabin avait déjà rencontré Louis de Funès dans le film de Claude Autant-Lara, où celui qui devait devenir un des grands comiques de son temps tenait un petit rôle : *La Traversée de Paris*. Cette fois, ils étaient l'un et l'autre des vedettes à part entière et Alphonse Boudard, secondé par Pascal Jardin pour les dialogues, leur avait mitonné une histoire qui ne manquait pas de piquant, celle d'un ancien de la Légion portant sur le dos un tatouage signé Modigliani convoité par un marchand de tableaux particulièrement vorace. L'ancien légionnaire : Jean Gabin, le marchand de tableaux : Louis de Funès. S'ensuit bien évidemment une cascade de gags, où le trait sans cesse forcé pour faire rire est si appuyé que la plupart des effets tombent à plat.

**Un film pour rien ? (*Le Tatoué*,
Denys de La Patellière, 1968.)**

Louis de Funès.

Dans son livre *Louis de Funès* (Éditions Denoël, 1972), Robert Chazal remarque fort justement : « Chaque fois qu'il le peut, Denys de La Patellière file un couplet nostalgique sur le thème de l'aristocratie déchue et incomprise. Ce n'est plus très méchant, cela prête à sourire. Dans le cas du *Tatoué*, c'est ce que le personnage tient de la roture qui lui donne quelque pittoresque et non pas ses gueulantes de seigneur dans la dèche. On en vient ainsi à mettre le doigt sur le vice de construction de ce film : quelle idée a-t-on eue d'opposer le clairon Gabin à la crécelle de Funès ? La différence n'est que de degré et l'effet comique n'a pas lieu, puisque aussi bien le contraste qui eût pu le faire naître n'existe point. C'est d'autant plus dommage qu'on ne réunira pas facilement une autre fois ces deux tempéraments explosifs ; on a du mal à faire se rencontrer les montagnes. »

La presse a célébré à l'envi l'estime, voire l'admiration, que Jean Gabin et Fernandel se portent. Ils ne se font pas ombrage parce qu'ils jouent l'un et l'autre dans des registres différents, mais ils sont cependant réciproquement ombrageux quant à leur popularité. On connaît l'anecdote. Henri Verneuil se marie et a demandé aux deux comédiens d'être ses témoins. Tous deux ont accepté. Vient le moment de signer les registres. « L'huissier hésite, a rapporté Raymond Castans dans *Fernandel m'a raconté* (Éditions de la Table Ronde, 1976). À qui va-t-il tendre le stylo ? Fernandel le prend d'autorité. ''Parce que de nous deux, explique-t-il, la plus grande vedette, c'est moi !'' Moment de stupeur, Gabin et tous les présents se demandent s'il plaisante ou non. Après un temps — comme au théâtre —, Fernandel finit sa phrase : ''Parce que si Monsieur (il montre Gabin) avait tourné autant de couillonnades que moi, il ne serait jamais devenu ce qu'il est ! '' »

La Gafer

Depuis *Les Gaietés de l'escadron* (Maurice Tourneur, 1932), ils n'ont jamais plus travaillé ensemble. Pourtant, Gabin-Fernandel ou Fernandel-Gabin, quelle affiche cela ferait ! De plus, comme ils sont lucides, ils ont conscience que leur carrière, à l'un et à

Les Gaietés de l'escadron (Maurice Tourneur, 1932) :
à droite, Fernandel.

Deux vieux complices, Fernandel et Jean Gabin, ont créé la Gafer (1964), société de production.

l'autre, piétine. Même s'il l'accepte mal, Gabin sait qu'il s'est enfermé dans une voie un peu frileuse, sans risques, sans surprises, aussi. Tout comme Fernandel, qui a enchaîné film sur film. *Angèle* (1934) et *Le Schpountz* (1938), de Marcel Pagnol, sont loin, aussi loin que *Quai des brumes* et *Le jour se lève*. Ils se rencontrent et décident alors de se produire eux-mêmes. Ainsi, en toute liberté, ils pourront choisir le réalisateur, les scénaristes, leurs partenaires aussi. Et, pour commencer, ils vont frapper un grand coup en tournant ensemble *L'Âge ingrat*. Ils sont heureux comme des enfants, font des jeux de mots douteux sur le sigle de leur maison de production.

« Je m'appelle Moncorgé, toi Contandin. Tu te rends compte de l'effet que ça ferait si nous choisissons d'unir les premières syllabes de nos noms ! »

Ils adopteront le *Ga* de Gabin et le *Fer* de Fernandel. La Gafer est née ; pendant près de dix ans elle produira huit films avec des fortunes diverses. Mais Jean Gabin producteur a la peau aussi dure que Jean Gabin acteur ; il s'efforce de ne pas paraître affecté quand un film dans lequel il s'est totalement investi n'obtient pas auprès du public le succès qu'il espérait. Parfois, cependant, il laisse percer sinon son amertume, du moins son incompréhension. *Le*

Deux vieux complices

Chat (1971), tiré d'un roman de Simenon, et dont il partage la vedette avec Simone Signoret, ne fait que 210 000 entrées sur Paris-banlieue en 16 semaines. « Qu'est-ce qu'il leur faut ? se demande-t-il. Je ne sais plus quoi tourner... »

On l'a vu, pareille mésaventure était déjà arrivée à *L'Âge ingrat* malgré les deux immenses têtes d'affiche. Parce que c'était un film un peu trop sur mesure, parce que les rôles de Gabin et de Fernandel étaient stéréotypés ? Le tournage n'avait pas été de tout repos. Jaloux, mais ne l'avouant pas, de leurs prérogatives de grandes vedettes, les deux comédiens sont souvent en froid, se reprochent — c'est leur argent que l'on dépense ! — une mutuelle radinerie. Tout s'arrangera le film terminé, mais si leurs intérêts restent liés par la Gafer, ils ne tourneront plus jamais ensemble. D'autant moins que la presse, si elle ménage quelque peu les comédiens, n'est pas tendre pour le film, au scénario duquel ont pourtant participé Pascal Jardin et Claude Sautet, Gilles Grangier signant comme à l'accoutumée une mise en scène plate : du travail d'artisan sans exigence, peut-être parce qu'il ne pouvait pas faire autrement.

Le face-à-face Signoret-Gabin
(*Le Chat*, Pierre Granier-Deferre, 1971).

L'ami Fernandel

« Le public se trompe sur notre caractère. Gabin, pour tout le monde, c'est l'ours. Et moi, le bon gars. Pas toujours. (...) Tenez, nous avons tourné les extérieurs de notre film par une chaleur à faire fondre les caméras. Entre deux scènes, Jean et moi nous étions affalés sur nos pliants, soufflant comme des phoques. De loin, j'aperçois une dame qui agitait un carnet. Elle voulait un autographe. Je pense aussitôt : "Si je lui dis oui, ce sera la ruée et Jean va piquer une rogne." Alors, je lui crie : "Non, madame, pas question. Pas d'autographe." (...) Comme elle avait de la suite dans les idées, je la vois, un peu plus tard, qui s'approche en se tortillant vers sa voiture. (...) Elle lui tend son carnet et qu'est-ce que je vois, Gabin qui se penche à la portière et qui lui offre le paraphe des grands jours. Reconnaissante, la dame s'écrie : "Ah ! monsieur Gabin, que vous êtes gentil, vous ! Bien plus que M. Fernandel..." Et Jean lui murmure avec un exquis sourire : "On est comme on est, madame ! Fernandel est comme ça, il a horreur de donner des autographes..." Parce que Jean n'est bourru que par timidité... Allez, je sais ce que je dis... C'est un gros timide ! »

Fernandel,
« Fernandel et Gabin »,
Ici-Paris,
16 décembre 1964.

L'Âge ingrat.

Grangier restera pourtant le réalisateur privilégié de Gabin et de Fernandel. Et la Gafer, la plupart du temps en coproduction, mettra à son actif des films bien dans le ton du cinéma de l'époque, mais qui n'ajouteront rien à la gloire de l'un et de l'autre ; avec Fernandel, outre *L'Âge ingrat* (1964), *Le Voyage du père*, de Denys de La Patellière (1966), *L'Homme à la Buick*, de Gilles Grangier (1967), *Heureux qui comme Ulysse*, d'Henri Colpi (1969) et, avec Jean Gabin, *Le Jardinier d'Argenteuil*, de Jean-Paul Le Chanois (1966), *La Horse*, de Pierre Granier-Deferre (1970), *Le Chat*, de Pierre Granier-Deferre (1971), *Le Tueur*, de Denys de La Patellière (1972), *L'Affaire Dominici*, de Claude Bernard-Aubert (1973).

Une mauvaise critique

Le patriarche de *L'Affaire Dominici*
(Claude Bernard-Aubert, 1973).

Gabin a 67 ans quand il interprète le rôle d'un commissaire de police dans le film de Denys de La Patellière, *Le Tueur* (1972). *Le Canard enchaîné* le souligne avec ironie : « À l'âge de la retraite,

Les derniers rôles

non pas comme comédien mais comme commissaire de police, Gabin continue à l'économie sa longue carrière. » La retraite. S'il est un mot que les comédiens ne connaissent pas, surtout les grands, c'est bien celui-là. Personne n'est dupe des boutades de Gabin qui, à chaque interview — il en donne peu, choisit ses interlocuteurs car l'indiscrétion l'indispose —, clame qu'il continue à tourner par nécessité.

En 1973, nouveau tournant dans sa carrière : *L'Affaire Dominici*, de Claude Bernard-Aubert. Abandonnant toutes les facilités et tous les rôles stéréotypés, il accepte avec une espèce de jubilation d'incarner le vieux paysan.

**FACE
À UN GÉANT**

« C'est le seul acteur français qui m'intimidait, le seul devant lequel j'allais être muet, ce qui est un tour de force. Il a le sens instinctif de la longueur, il a horreur de la facilité, de la vulgarité, il cherche la logique de la situation, coupe dans le texte non par paresse mais parce qu'il sait bien que l'image est plus forte que les phrases. C'est un solitaire qui n'aime pas être seul, il a besoin d'entendre le marteau du machiniste, de sentir la lumière du projecteur, de respirer l'air du plateau. C'est un grand seigneur de la scène. »

Jean-Claude Brialy,
in *Jean Gabin*,
de Sylvie Milhaud,
Éditions Solar, 1981.

Aux côtés de Pierre Vernier et Curd Jürgens (*Le Jardinier d'Argentueil*, Jean-Paul Le Chanois, 1966).

Anny Cordy dans *Le Chat*.

Il a lu tout ce que l'on a écrit sur lui ; il a été impressionné par la thèse que défend Jean Giono dans un livre qui a fait quelque bruit : la possible innocence du patriarche. Enfin, il va sortir des emplois dans lesquels on lui a si souvent reproché de se complaire, enfin il va faire éclater le carcan des idées reçues : il ne sera pas Gabin jouant Gabin ! Pour ressembler le plus possible à Gaston Dominici, raconte André Brunelin, il va même jusqu'à acheter lui-même au marché de Manosque les vêtements usagés de paysan qu'il va porter dans le film. Pour une fois, on oublie complètement le comédien et, même si le film n'obtient qu'un succès moyen, les spectateurs se laissent prendre au jeu, croient en cet homme naïf et roublard, dépassé par les événements, seul face à un système auquel il ne comprend rien, et peut-être victime — consentante ? — d'une erreur judiciaire.

L'Affaire Dominici aurait pu marquer sa carrière d'une pierre blanche, l'orienter vers des rôles nouveaux et peut-être insolites, mais c'est trop tard, il est depuis trop longtemps sans illusion sur ce cinéma qu'il connaît par cœur, qu'il n'a jamais aimé avec passion, même s'il le sert avec une conscience professionnelle sans faille. Dernière coquetterie d'acteur ? Sa fille Florence, assistante sur son dernier film, a confié à André Brunelin : « Ça lui aurait été impossible de renoncer. (...) Il fallait le voir chaque matin arriver au studio et pénétrer sur le plateau avec l'air de vous faire croire qu'il venait là contraint et forcé. Mais c'était faux, seulement une manière pudique de ne pas vouloir trop montrer qu'à son âge il aimait encore ça. Il était là ''chez lui'', autant qu'à La Pichonnière, les deux univers lui étaient indispensables. »

Il a voulu faire autre chose et il est allé de déception en déception. *Le Chat*, avec la sublime Signoret, n'a pas attiré le grand public en première exclusivité — par la suite, il a fait les beaux soirs de la télévision qui le rediffuse à intervalles réguliers —, *L'Affaire Dominici* fait encore moins d'entrées. Il faut donc revenir à une recette éprouvée : partager la vedette de ses films avec d'autres grands noms du cinéma : Sophia

Signoret

Loren pour *Verdict* (1974), Alain Delon pour *Deux Hommes dans la ville* (1973). Et le public revient, la critique fait patte de velours et ses partenaires célèbrent à l'envi le plaisir qu'ils ont de tourner avec ce professionnel haut de gamme et respectueux du travail des autres. On retrouve là le Gabin dont Marie-José Nat, à ses débuts dans *Rue des prairies* (1959), s'est plu à rapporter les discrets et efficaces coups d'épaule : « Là où il aurait pu obtenir sans peine que la caméra soit sur lui pour un gros plan, il demandait au contraire que ce soit sa partenaire qui apparaisse sur l'écran, lui restant en contre-champ pour lui donner la réplique. Je ne l'ai jamais oublié. »

Avec Sophia Loren (*Verdict*, André Cayatte, 1974).

Le plaisir à nouveau, et un succès insolite : Jean Gabin s'offre un divertissement, l'enregistrement d'un disque : *Ce que je sais*, de Philippe Green et Jean-Loup Dabadie, qui fera danser la France tout un été. Et puis une erreur, qui sera hélas ! la dernière : *L'Année sainte* de Jean Girault, sur un scénario de Louis-Émile Galey, à l'origine pourtant de *L'Affaire Dominici*.

Un disque

Gabin ne sait pas, personne ne sait que sa filmographie va se clore sur ce film qui verra à nouveau les bois verts brandis pour une volée que la presse entière regrettera à sa mort de lui avoir infligée. Avec ce film, Gabin est retourné à ses faiblesses. Dans son essai, *Jean Gabin* (Éditions Solar, 1981), Sylvie Milhaud écrit : « ''S'arrêter au quatre-vingt-quatorzième film, ce serait dommage, mieux vaut penser au centième !'' déclare Gabin sur le plateau où il reçoit la croix d'officier de l'Ordre national du mérite. N'a-t-il pas dit par ailleurs : ''L'essentiel, c'est de ne pas partir sur une connerie'' ? » Il semblerait, pourtant, que Gabin se soit bien amusé sur le tournage de cette comédie policière « sans prétention », comme on dit quand le film est raté, sensible qu'il était aux fous rires de Danielle Darrieux, retrouvée avec joie, et aux prévenances d'un Jean-Claude Brialy drôle, spirituel, qui lui racontait des histoires et lui rapportait des potins sur un milieu que Gabin feignait d'ignorer.

**Entre Jean-Claude Brialy et Jacques Marin
dans *L'Année sainte*.**

Une première alerte, peu avant le tournage de *Deux Hommes dans la ville*. Un matin, Gabin refuse de se lever. Pas de fièvre, il n'a mal nulle part et les examens que, contraint et forcé, il accepte, ne révèlent rien, sauf un peu d'hypertension. Gabin n'aime pas les médecins ; les consulter, c'est déjà accepter la maladie et il s'y refuse. Nouvel examen l'année suivante, et toujours rien, sauf cette fatigue permanente, qui le rend de plus en plus

Une fine
poussière blanche

maussade. Novembre 1974. Des examens encore et, cette fois, les médecins sont soucieux. Avec effroi, Dominique se rend compte que Jean commence à perdre la vue et, résigné, presque inconscient, il accepte d'entrer à l'hôpital américain de Neuilly.

Au matin du 15 novembre, très tôt, le téléphone réveille Dominique à qui, la veille, une infirmière a conseillé de rentrer chez elle, après les longues heures qu'elle a passées au chevet du malade. Jean est mort. On parle d'un mal implacable et foudroyant. Les uns de leucémie, les autres de complications pulmonaires, d'autres, enfin, de crise cardiaque. La stupeur, le chagrin et le refus d'admettre l'inévitable. Et puis, la ronde des obligations, les enfants à prévenir. Les enfants pour lesquels cet homme que l'on disait froid avait des trésors de tendresse. Une fois de plus, assistée par quelques amis sûrs, dont Gilles Grangier et Alain Delon, le fidèle entre les fidèles, Dominique, la forte et la vulnérable, fait face.

Micheline Presle remet à Jean Gabin la croix de la Légion d'honneur.

Jean Gabin a horreur des cérémonies funèbres solennelles et figées et, il l'a souvent répété à son entourage : à sa mort, pas de tombeau et des obsèques les plus simples et les plus discrètes possible. Malgré ces consignes impérieuses, peut-on ensevelir dans la discrétion le plus grand, sinon le dernier des monstres sacrés ?

Dernier hommage

La décision est respectée autant que faire se peut. On ne jette plus les cercueils à la mer ; il sera donc incinéré et ses cendres répandues à vingt milles des côtes de Brest. Un décret signé du président de la République autorise qu'à cette occasion les honneurs militaires lui soient rendus. Le cimetière du Père-Lachaise, tôt le matin. Les grilles sont fermées mais la foule des grands jours est là, qui entend ne pas être frustrée du spectacle qu'elle attend et que du reste, tant elle est dense, bousculée, renversée presque, elle ne verra pratiquement pas. Avide, cruelle, inconsciente aussi, elle cherche parmi les intimes entourant la famille les visages connus ; ils sont légion à accompagner le simple cercueil de bois blanc. Les grilles ouvertes, elle se rue vers le crématorium, et c'est l'habituel et indescriptible spectacle : couronnes piétinées, fleurs écrasées, vases renversés, appareils photo que l'on essaie désespérément de brandir au-dessus des têtes. Il fait froid, le vent glacé rabat sur la foule la fumée du crématorium, n'importe, elle est soudain figée, cette foule qui attend elle ne sait trop quoi. A-t-elle conscience de rendre hommage à celui qui a incarné toutes les grandes causes de l'histoire de la société française durant quatre décennies ? Cinquante minutes plus tard, le géant n'est plus qu'une fine poudre blanche dans une urne de terre cuite.

**Le Pacha
(Georges Lautner,
1968).**

La famille est repartie, elle se trouve à Brest deux jours plus tard. Alain Delon, « le môme », a voulu aller jusqu'au bout. Il attend, pâle, mâchoires crispées, le moment d'embarquer à bord de l'aviso *Détroyat*. Dominique Gabin est entourée de ses enfants, Mathias, Florence et son mari ; le préfet maritime est aussi à ses côtés, ainsi que Gilles Grangier. À 9 h 45, le bâtiment se dirige vers la haute mer et la cérémonie, brève, solennelle et pourtant d'une grande sobriété, commence. Pendant quelques instants, les assistants contemplent l'urne, les couleurs sont amenées et un officier la jette alors à la mer. Un peu plus tard, après des minutes d'un silence difficilement supportable, Florence lance le bouquet de violettes, les fleurs préférées de son père, qu'elle tient serré dans ses mains. Puis l'aviso regagne Brest.

L'adieu

Jean Gabin ne reposera pas dans ces terres normandes qu'il a passionnément voulu faire siennes et qu'on lui a contestées. Personne ne pourra venir se recueillir sur sa tombe. Il a rejoint les ombres dont Pagnol a dit que grâce au cinématographe elles hanteront longtemps encore les toiles blanches. ∎

Le Baron de l'Écluse (Jean Delannoy, 1960).

1930

Chacun sa chance

de Hans Steinhoff et René Pujol, avec Gaby Basset,
Raymond Cordy.

1931

Méphisto

de Henri Debain et Nick Winter, avec Milly Mathis, Gil Roland.

Paris-Béguin

d'Augusto Genina, avec Jane Marnac, Fernandel, Jean Max,
Saturnin Fabre, Marcelle Romée.

Tout ça ne vaut pas l'amour

de Jacques Tourneur, avec Josselyne Gaël,
Mady Berry, Marcel Levesque.

Cœurs joyeux

de Hans Schwarz et Max de Vaucorbeil,
avec Josselyne Gaël, Gabriel Gabrio.

Gloria

de Hanns Behrendt (version allemande) et Yvan Noé (version
française), avec Brigitte Helm, André Luguet, André Roanne,
Mady Berry, Jean Dax.

1932

Les Gaietés de l'escadron

de Maurice Tourneur, avec Raimu, Fernandel, Henry-Roussel,
Mady Berry, Paul Azaïs, Julien Carette.

Cœur de lilas

d'Anatole Litvak, avec André Luguet,
Madeleine Guitty, Fréhel, Fernandel.

La Belle Marinière

de Harry Lachman, avec Madeleine Renaud, Pierre Blanchar, Rosine Deréan, Jean Wall.

La foule hurle

de Howard Hawks (version américaine) et de Jean Daumery (version française), avec Hélène Perdrière, Franck O'Neill, Sergius, Francine Mussey, pour la version française.

L'Étoile de Valencia

de Serge de Poligny, avec Brigitte Helm, Simone Simon, Ginette Leclerc, Paul Amiot, Roger Karl.

Adieu les beaux jours

de Johannes Meyer, avec Brigitte Helm, Thomy Bourdelle, Henri Bosc, Mireille Balin, Ginette Leclerc, Julien Carette.

Le Tunnel

de Kurt Bernhardt, avec Madeleine Renaud, Robert Le Vigan, Edmond Van Daele, Pierre Nay.

Pour un soir

de Jean Godard, avec Colette Darfeuil, Cillie Andersen, Régine Dhally, Georges Melchior, Guy Ferrant.

Du haut en bas

de G.-W. Pabst, avec Michel Simon, Margo Lion, Jeanine Crispin, Milly Mathis, Peter Lorre, Vladimir Sokoloff, Pauline Carton.

Zouzou

de Marc Allégret, avec Joséphine Baker, Yvette Lebon, Pierre Larquey, Madeleine Guitty, Viviane Romance, Roger Blin.

Maria Chapdelaine

de Julien Duvivier, avec Madeleine Renaud, Jean-Pierre Aumont, Suzanne Després, Alexandre Rignault, Robert Le Vigan, Daniel Mendaille, Thomy Bourdelle.

1935

Golgotha

de Julien Duvivier, avec Robert Le Vigan, Harry Baur, Edwige
Feuillère, Juliette Verneuil, Charles Granval, Lucas Gridoux
(vidéo René Chateau, coll. « Mémoire du cinéma français »).

La Bandera

de Julien Duvivier, d'après le roman de Pierre Mac Orlan,
avec Annabella, Robert Le Vigan, Pierre Renoir, Aimos,
Viviane Romance, Margo Lion, Charles Granval, Gaston Modot
(SNC/Delta Vidéo).

Variétés

de Nicolas Farkas, avec Annabella, Fernand Gravey, Sinoël,
Camille Bert, Marcel Perès.

1936

La Belle Équipe

de Julien Duvivier, avec Charles Vanel, Viviane Romance,
Aimos, Micheline Cheirel, Raymond Cordy, Charpin, Jacques
Baumer, Gaston Modot, Robert Lynen, Raphaël Medina,
Charles Granval.

1937

Les Bas-Fonds

de Jean Renoir, d'après le roman de
Maxime Gorki, avec Louis Jouvet,
Vladimir Sokoloff, Suzy Prim,
Junie Astor, Robert Le Vigan,
Jany Holt, Maurice Baquet,
Gabriello (vidéo René Chateau,
coll. « Mémoire du cinéma
français »).

Pépé le Moko

de Julien Duvivier, avec Mireille Balin,
Gabriel Gabrio, Lucas Gridoux,
Marcel Dalio, Line Noro, Charpin,
Saturnin Fabre, Gilbert Gil, Fréhel,
Gaston Modot, Jean Temerson,
Charles Granval, René Bergeron
(vidéo Ed. Montparnasse,
coll. « L'âge d'or du cinéma »).

La Grande Illusion

de Jean Renoir, avec Erich von
Stroheim, Pierre Fresnay, Dita Parlo,
Marcel Dalio, Julien Carette, Gaston
Modot, Jean Dasté, Sylvain Itkine,
Jacques Becker (vidéo GCR).

Le Messager

de Raymond Rouleau, d'après la pièce
de Henri Bernstein, avec Gaby Morlay,
Jean-Pierre Aumont, Maurice Escande,
Mona Goya, Lucien Coëdel, Bernard
Blier, Henri Guisol.

Gueule d'amour

de Jean Grémillon, d'après le roman d'André Beucler, avec
Mireille Balin, René Lefèvre, Marguerite Deval, Jane Marken,
Pierre Magnier, Henri Poupon.

Quai des brumes

de Marcel Carné, d'après le roman de
Pierre Mac Orlan, avec Michèle Morgan,
Michel Simon, Aimos, Pierre Brasseur,
Édouard Delmont, Robert Le Vigan,
René Génin (vidéo Fil à Film).

La Bête humaine

de Jean Renoir, d'après le roman
d'Émile Zola, avec Simone Simon,
Fernand Ledoux, Blanchette Brunoy,
Julien Carette, Colette Régis,
Jenny Hélia, Jean Renoir
(vidéo Ed. Montparnasse,
coll. « L'âge d'or du cinéma »).

Le Récif de corail

de Maurice Gleize, avec Michèle
Morgan, Pierre Renoir, Saturnin Fabre,
Gina Manès, Julien Carette, Gaston Modot.

Le jour se lève

de Marcel Carné, avec Arletty, Jules
Berry, Jacqueline Laurent, Mady Berry,
Bernard Blier, Douking, Gabrielle Fontan,
René Génin, Arthur Devère, Marcel
Perès, Jacques Baumer (vidéo RCV).

Remorques

de Jean Grémillon, d'après le roman de Roger Vercel,
avec Michèle Morgan, Madeleine Renaud, Jean Marchat, Fernand
Ledoux, Blavette, Léonce Corne, René Bergeron, Jean Dasté
(vidéo René Chateau, coll. « Mémoire du cinéma français »).

La Péniche de l'amour

(Moontide), de Fritz Lang puis Archie Mayo (E.-U.), avec
Ida Lupino, Claude Rains, Thomas Mitchell, Jerome Cowan,
Helene Reynolds.

L'Imposteur

(The Impostor), de Julien
Duvivier (E.-U.), avec
Richard Whorf,
Ellen Drew, Dennis
Moore, Peter van Eyck,
Charles McGraw.

Martin Roumagnac

de Georges Lacombe,
d'après le roman de
Pierre-René Wolf,
avec Marlène Dietrich,
Daniel Gélin, Margo Lion,
Marcel Herrand,
Marcelle Géniat.

Miroir

de Raymond Lamy, avec Gabrielle Dorziat, Martine Carol,
Daniel Gélin, Gisèle Préville, Fernand Sardou, Henri Poupon,
Tramel, Henri Crémieux.

Au-delà des grilles

de René Clément (It.), avec Isa Miranda, Vera Talchi,
Andrea Cecchi, Robert Dalban, Ave Ninchi.

La Marie du port

de Marcel Carné, avec Nicole Courcel,
Blanchette Brunoy, Julien Carette, Jane Marken,
Louis Seigner, Gabrielle Fontan, Robert Vattier
(vidéo Fil à Film).

Pour l'amour du ciel

(*È più facile che un camelo...*) de Luigi Zampa,
avec Julien Carette, Antonella Lualdi, Mariella Lotti,
Elli Parvo.

Victor

de Claude Heymann, avec Françoise Christophe,
Jacques Castelot, Brigitte Auber, Jacques Morel, Gaston Modot,
Pierre Mondy.

La nuit est mon royaume

de Georges Lacombe, avec Simone Valère, Suzanne Dehelly,
Jacques Dynam, Gérard Oury, Marthe Mercadier, Paul Azaïs,
Robert Arnoux, Georges Lannes.

Le Plaisir

(sketch *La Maison Tellier*), de Max Ophuls, d'après trois contes
de Guy de Maupassant, avec Madeleine Renaud, Danielle
Darrieux, Mila Parely, Ginette Leclerc, Paulette Dubost, Pierre
Brasseur, Héléna Manson, Antoine Balpétré.

La Vérité sur Bébé Donge

de Henri Decoin, d'après
le roman de
Georges Simenon, avec
Danielle Darrieux,
Daniel Lecourtois, Claude Génia,
Gabrielle Dorziat,
Jacques Castelot,
Geneviève Guitry,
Meg Lemonnier.

La Minute de vérité

de Jean Delannoy, avec Michèle Morgan,
Daniel Gélin, Lea di Leo, Denise Clair,
Simone Paris, Jean-Marc Tennberg, René Genin.

Fille dangereuse

(Bufere), de Guido Brignone (It.), avec
Silvana Pampanini, Serge Reggiani,
Carla del Poggio, René Lefèvre.

Leur dernière nuit

de Georges Lacombe, avec Madeleine Robinson, Robert Dalban,
Gaby Basset, Suzanne Dantès, Jean-Jacques Delbo, Arthur Devère.

La Vierge du Rhin

de Gilles Grangier,
d'après le roman
de Pierre Nord, avec
Elina Labourdette,
Renaud Mary,
Olivier Hussenot,
Nadia Grey,
Andrée Clément,
Claude Vernier,
Albert Dinan.

Touchez pas au grisbi

de Jacques Becker,
d'après le roman
d'Albert Simonin,
avec René Dary,
Jeanne Moreau,
Dora Doll,
Gaby Basset,
Denise Clair,
Lino Ventura,
Daniel Cauchy,
Paul Frankeur
(vidéo René Chateau).

L'Air de Paris

de Marcel Carné, avec Arletty, Roland Lesaffre, Marie Daems,
Jean Parédès, Simone Paris, Folco Lulli.

Napoléon

de Sacha Guitry, avec une distribution éblouissante : les plus
prestigieux acteurs du moment.

Le Port du désir

d'Edmond T. Gréville, avec Andrée Debar, Henri Vidal,
Jean-Roger Caussimon, Gaby Basset, Antonin Berval.

French Cancan

de Jean Renoir, avec Françoise Arnoul, Maria Felix,
Jean-Roger Caussimon, Giani Esposito, Dora Doll, Valentine Tessier,
Édith Piaf, Patachou, Jean-Marc Tennberg, André Claveau.

Razzia sur la chnouf

de Henri Decoin, avec Marcel Dalio, Lino Ventura, Magali Noël,
Lila Kedrova, Jacqueline Porel, Françoise Spira, Pierre Louis,
Paul Frankeur, Marcel Bozzuffi.

Chiens perdus sans collier

de Jean Delannoy, d'après le roman de Gilbert Cesbron, avec
Anne Doat, Dora Doll, Jane Marken, Serge Lecointe,
Jacques Moulières, Robert Dalban.

Gas-oil

de Gilles Grangier,
avec
Jeanne Moreau,
Ginette Leclerc,
Marcel Bozzuffi,
Roger Hanin,
Gaby Basset,
Jean Lefèvre,
Robert Dalban
(vidéo GCR).

Des gens sans importance

de Henri Verneuil, avec Françoise Arnoul, Yvette Etiévant,
Dany Carrel, Paul Frankeur, Lila Kedrova, Pierre Mondy,
Héléna Manson.

Voici le temps des assassins

de Julien Duvivier, avec Danièle Delorme, Gérard Blain,
Lucienne Bogaert, Gaby Basset, Germaine Kerjean, Aimé
Clariond, Robert Pizani,
Robert Manuel,
Gabrielle Fontan.

Le Sang à la tête

de Gilles Grangier,
avec Renée Faure,
Paul Frankeur,
Monique Mélinand,
Paul Azaïs,
Claude Sylvain,
Odette Florelle.

La Traversée de Paris

de Claude Autant-Lara,
d'après la nouvelle de
Marcel Aymé, avec
Bourvil, Louis de Funès,
Jeannette Batti, Anouk Ferjac, Bernard Lajarrige,
Robert Arnoux, Jacques Marin (vidéo René Chateau).

Crime et Châtiment

de Georges Lampin, d'après le roman de Dostoïevski, avec
Marina Vlady, Ulla Jacobson, Bernard Blier, Roland Lesaffre,
Robert Hossein, Gaby Morlay, Julien Carette, Gérard Blain,
Lino Ventura.

Le Cas du docteur Laurent

de Jean-Paul Le Chanois, avec Nicole Courcel, Sylvia Montfort,
Orane Demazis, Arius, Antoine Balpétré.

Le rouge est mis

de Gilles Grangier, avec Annie Girardot, Paul Frankeur,
Lino Ventura, Albert Dinan, Marcel Bozzuffi, Antonin Berval,
Thomy Bourdelle.

Maigret tend un piège 1958
</>

de Jean
Delannoy,
d'après le roman
de Georges
Simenon, avec
Annie Girardot,
Jean Desailly,
Olivier Hussenot,
Alfred Adam,
Jean Tissier,
Paulette Dubost,
Lucienne Bogaert,
Lino Ventura,
Jeanne Boitel,
Jean Debucourt,
André Valmy.

Les Misérables

de Jean-Paul Le Chanois, d'après le roman de Victor Hugo, avec
Bourvil, Sylvia Monfort, Danièle Delorme, Bernard Blier,
Fernand Ledoux, Lucien Baroux, Giani Esposito, Jean Murat,
Serge Reggiani (vidéo René Chateau).

Le Désordre et la Nuit

de Gilles Grangier, avec Nadja Tiller, Danielle Darrieux,
Paul Frankeur, Roger Hanin, François Chaumette.

En cas de malheur

de Claude Autant-Lara, d'après le roman de Georges Simenon,
avec Edwige Feuillère, Brigitte Bardot, Nicole Berger, Franco
Interlenghi, Julien Bertheau, Gabrielle Fontan, Jean-Pierre Cassel,
Madeleine Barbulée.

Les Grandes Familles

de Denys de La Patellière, d'après le roman de Maurice Druon,
avec Pierre Brasseur, Bernard Blier, Jean Desailly, Annie Ducaux,
Françoise Christophe, Julien Bertheau, Louis Seigner, Jean Murat,
Aimé Clariond, Daniel Lecourtois, Jacques Monod
(Ariane Vidéo/GCR, coll. « Mémoire du cinéma »).

Archimède le clochard

de Gilles Grangier, avec Bernard Blier,
Paul Frankeur, Darry Cowl,
Julien Carette, Jacqueline Maillan,
Noël Roquevert, Dora Doll,
Gaby Basset, Albert Dinan (Echo Vidéo).

Maigret et l'affaire Saint-Fiacre

de Jean Delannoy, d'après le roman
de Georges Simenon,
avec Valentine Tessier, Robert Hirsch,
Michel Auclair, Michel Vitold,
Paul Frankeur, Jacques Morel,
Micheline Luccioni, Serge Rousseau,
Jacques Marin, Camille Guérini.

Rue des prairies

de Denys de La Patellière, avec
Marie-José Nat, Claude Brasseur,
Roger Dumas, Paul Frankeur, Renée
Faure, Louis Seigner, Bernard Dhéran,
Roger Tréville, Albert Dinan, Alfred Adam, Jacques Monod
(Ariane Vidéo/GCR, coll. « Mémoire du cinéma »).

Le Baron de l'Écluse

de Jean Delannoy, avec Micheline Presle, Jean Desailly, Jacques
Castelot, Blanchette Brunoy, Louis Seigner, Robert Dalban,
Jean Constantin.

Les Vieux de la vieille

de Gilles Grangier, avec Pierre Fresnay, Noël-Noël,
Guy Decomble, Alexandre Rignault, Mona Goya,
Yvette Etiévant, Charles Bouillaud, Robert Dalban.

Le Président

de Henri Verneuil, avec Bernard Blier, Alfred Adam,
Renée Faure, Louis Seigner, Robert Vattier, Pierre Larquey,
Jean Martinelli, Jacques Monod,
Héléna Manson.

Le cave se rebiffe

de Gilles Grangier, avec Bernard Blier,
Frank Villard, Martine Carol,
Françoise Rosay, Ginette Leclerc,
Maurice Biraud, Hélène Dieudonné,
Albert Dinan, Robert Dalban,
Antoine Balpétré (vidéo René Chateau).

Un singe en hiver

de Henri Verneuil, d'après le roman
d'Antoine Blondin, avec
Jean-Paul Belmondo, Suzanne Flon,
Noël Roquevert, Gabrielle Dorziat,
Paul Frankeur, Marcelle Arnold,
Geneviève Fontanel
(vidéo René Chateau).

Le Gentleman d'Epsom
ou Les Grands Seigneurs

de Gilles Grangier, avec
Madeleine Robinson, Frank Villard,
Jean Lefèvre, Louis de Funès,
Jean Martinelli, Paul Frankeur,
Albert Dinan, Jacques Marin, Alexandre Rignault
(vidéo René Chateau).

Mélodie en sous-sol

de Henri Verneuil, d'après le roman de John Trinian, avec
Alain Delon, Viviane Romance, Carla Marlier, Maurice Biraud,
Jean Carmet, Dora Doll, Henri Virlojeux, Germaine Montero
(vidéo René Chateau).

Maigret voit rouge

de Gilles Grangier, d'après le roman de Georges Simenon
Maigret, Lognon et les gangsters, avec Françoise Fabian,
Guy Decomble, Marcel Bozzuffi, Paulette Dubost, Paul Frankeur,
Michel Constantin (vidéo Scherzo).

Monsieur

de Jean-Paul Le Chanois, avec
Liselotte Pulver, Mireille Darc,
Philippe Noiret, Jean-Pierre Darras,
Gaby Morlay, Andrex,
Jean-Paul Moulinot, Julien Carette
(vidéo SNC/Delta).

L'Âge ingrat

de Gilles Grangier, avec Fernandel, Frank Fernandel,
Marie Dubois, Noël Roquevert, Paulette Dubost, Rellys, Andrex.

1965

Le Tonnerre de Dieu

de Denys de La Patellière, d'après le roman de Bernard Clavel,
avec Michèle Mercier, Lilli Palmer, Georges Géret,
Robert Hossein, Louis Arbessier, Daniel Ceccaldi, Paul Frankeur.
(vidéo Fil à Film).

1966

Du rififi à Paname

de Denys de La Patellière, avec Gert Froebe, Nadja Tiller,
Mireille Darc, George Raft, Claudio Brook, Claude Brasseur
(vidéo Fil à Film).

Le Jardinier d'Argenteuil

de Jean-Paul Le Chanois, avec Liselotte Pulver, Pierre Vernier,
Curd Jürgens, Mary Marquet, Jean Tissier, Noël Roquevert,
Alfred Adam, Serge Gainsbourg, Charles Blavette
(vidéo Fil à Film).

1967

Le Soleil des voyous

de Jean Delannoy, avec Robert Stack, Margaret Lee,
Jean Topart, Suzanne Flon (vidéo Fil à Film).

1968

Le Pacha

de Georges Lautner, avec Dany Carrel, André Pousse,
Robert Dalban, Jean Gaven, Félix Marten, Serge Gainsbourg,
Frédéric de Pasquale, André Weber.

Le Tatoué

de Denys de La Patellière, avec Louis de Funès,
Dominique Davray, Henri Virlojeux, Micheline Luccioni,
Jean-Pierre Sentier, Hubert Deschamps, Patrick Préjean
(vidéo Fil à Film).

1969

Sous le signe du taureau

de Gilles Grangier, avec Suzanne Flon,
Colette Deréal, Michel Auclair, Raymond
Jérôme, Alfred Adam, Jacques Monod,
Jean-Paul Moulinot, Fernand Ledoux.

Le Clan des Siciliens

de Henri Verneuil, d'après le roman
d'Auguste Le Breton, avec Alain Delon, Lino Ventura,
Irina Demick, Amedeo Nazzari, Sidney Chaplin, Marc Porel,
Leopoldo Trieste, Edward Meeks.

La Horse

de Pierre Granier-Deferre,
avec André Weber, Pierre Dux,
Éléonore Hirt, Christian Barbier,
Danièle Ajoret, Marc Porel,
Julien Guiomar (SNC/Delta Vidéo).

Le Chat

de Pierre Granier-Deferre, d'après
le roman de Georges Simenon, avec
Simone Signoret, Annie Cordy,
Jacques Rispal, Harry Max (Vidéofilms).

Le drapeau noir flotte sur la marmite

de Michel Audiard, avec Ginette Leclerc, Eric Damain,
Claude Piéplu, Jacques Martin, Jean Carmet, Micheline Luccioni,
André Pousse.

Le Tueur

de Denys de La Patellière, avec
Fabio Testi, Bernard Blier,
Félix Marten, Jacques Richard,
Jacques Debarry, Gérard Depardieu
(vidéo Fil à Film).

L'Affaire Dominici

de Claude Bernard-Aubert, avec
Paul Crauchet, Daniel Ivernel,
Victor Lanoux, Gérard Darrieu, Geneviève Fontanel, Gérard
Depardieu, Jacques Rispal, Henri Vilbert (SNC/Delta Vidéo).

Deux Hommes dans la ville

de José Giovanni, avec Alain Delon, Mimsy Farmer,
Michel Bouquet, Victor Lanoux, Gérard Depardieu,
Bernard Giraudeau, Malka Ribowska, Jacques Monod,
Robert Castel (vidéo René Chateau).

Verdict

d'André Cayatte, avec Sophia Loren, Michel Albertini,
Henri Garcin, Julien Bertheau, Gisèle Casadessus, Mario Pilar.

L'Année sainte

de Jean Girault, avec Danielle Darrieux, Jean-Claude Brialy,
Henri Virlojeux, Maurice Teynac, Monique Tarbès,
Jacques Marin (SNC/Delta Vidéo).

Ouvrages consultés

- Pierre Duvillars, *Cinéma, mythologie du XXᵉ siècle*, éd. de l'Ermite, 1950.
- Roger Boussinot, *Encyclopédie du cinéma*, Bordas, 1967.
- Arletty, *La Défense*, éd. de la Table Ronde, 1971.
- Robert Chazal, *Louis de Funès*, Denoël, 1972.
- Pascal Jardin, *Guerre après guerre*, Grasset, 1973.
- Pierre Fresnay et Possot, *Pierre Fresnay*, éd. de la Table Ronde, 1975.
- Raymond Castans, *Fernandel m'a raconté*, éd. de la Table Ronde, 1976.
- François Guérif et Stéphane Levy Klein, *Jean-Paul Belmondo*, éd. Pac, 1976.
- Simone Signoret, *La nostalgie n'est plus ce qu'elle était*, Le Seuil, 1976.
- Claude Gauteur et André Bernard, *Jean Gabin*, éd. Pac, 1976.
- Michel Piccoli, *Dialogues égoïstes*, éd. Olivier Orban, 1976.
- Edwige Feuillère, *Les Feux de la mémoire*, éd. Albin Michel, 1977.
- Michèle Morgan, *Avec ces yeux-là*, éd. Robert Laffont-Opéra Mundi, 1977.
- Maurice Ronet, *Le Métier de comédien* (entretiens avec Hervé le Boterf), éd. France-Empire, 1977.
- Gilles Grangier, *Flash-Back*, Les Presses de la Cité, 1977.
- Jean-Michel Betti, *Salut Gabin*, éd. de Trévise-Ramsay, 1977.
- Georges Perec, *Je me souviens*, éd. P.O.L.-Hachette, 1978.
- Sylvie Milhaud, *Jean Gabin*, éd. Solar, 1981.
- Henri Rode, *Alain Delon*, éd. Pac, 1982.
- *Dictionnaire du cinéma*, éd. Larousse, 1986.
- André Brunelin, *Gabin*, éd. Robert Laffont, 1987 ; J'ai lu, 1989.
- Alain Poiré, *200 Films au soleil*, éd. Ramsay, 1988.
- Marcel Carné, *La vie à belles dents*, éd. Pierre Belfond, 1989.

Crédit photographique

Collection André Bernard : pages 3, 4, 6a, 6b, 7a, 7b, 8 et 9, 11, 15, 16 et 17, 20a, 21, 22, 23, 24, 25, 26 et 27, 28, 29, 30 et 31, 33a, 33b, 34, 35, 36 et 37, 38, 40, 41, 42, 44, 45, 46, 47, 49a, 49b, 50, 51, 52a, 53, 54, 55, 63a, 64 et 65, 66, 68, 71, 72 et 73, 74, 75a, 76a, 76b, 77, 78, 80, 82, 84a, 85, 86, 87a, 89, 90, 91, 93, 95, 96a, 97, 98a, 98b, 100 et 101, 102 et 103, 104, 105, 106, 107a, 107b, 108, 109, 110, 111, 113a, 113b, 114, 116, 118, 119, 120, 121, 122, 123, 124, 125, 126, 127, 128, 129, 130b, 134, 136a, 139, 140a, 141b. Collection Christophe L. : pages 19, 32, 43a, 43b, 52b, 57, 59, 60, 61, 62, 63b, 70, 75b, 79, 81, 84b, 87b, 88, 94, 96b, 117, 132b, 133a, 133b, 133c, 133d, 135, 136b, 137, 138, 140b, 142, 143a. Sam Levin : page 92. Gamma : page 67. Alain Denize/Kipa : page 83. Éditions Robert Laffont : pages 13, 14. Éditions J'ai lu : page 20b. Collection Alain Guyot : pages 18, 56, 58a, 58b, 69, 112, 115a, 115b, 130a, 131, 132a, 140c, 141a, 143b.

Maquette : Alain Guyot - Liaisons Créatives, Boulogne
Photocomposition : Graphie Moderne, Vincennes
© 1990, Éditions J'ai lu

J'ai lu Cinéma / Éditions J'ai lu
27, rue Cassette   75006 Paris

Imprimé en France par Intergraphie à Saint-Étienne
le 24 mars 1990
Dépôt légal : mars 1990, ISBN 2-277-37025-8

Diffusion France et étranger : Flammarion